1961
アメリカと見た夢

堀田江理 *Eri Hotta*

1961
アメリカと見た夢

岩波書店

まえがき

ここにまとめるエッセイは、多かれ少なかれ、ある六〇年前の旅に着想を得ている。一九六一年一〇月から一二月にかけて、当時大学生だった私の父、堀田健介は、三人の仲間とともに、アメリカを巡る旅に挑んだ。主な交通手段は長距離バス。全米を網羅するネットワークを誇るグレイハウンド社は、当時、「99ドルで99日間」(99 Dollars for 99 Days)と銘打って、主に海外からの若者向けに乗り放題チケットを販売していた。そのチケットを利用し、ユースホステルで宿泊することで、節約しながらの道中だった。

なぜそのような旅をしたのか。正式には日本外政学会によって企画されたこの試みの最大の目的は、首都ワシントンDCにジョン・F・ケネディ大統領の弟、ロバート・ケネディ司法長官を訪ねることだった。と同時に、ケネディ政権がスタートさせたばかりの平和部隊について調査をすることを期待された。

それからぴったり一〇年後に生まれた私は、おぼろげにこの旅の経緯を把握してはいたものの、旅程を含む詳細や、父とその仲間が出会った人々、見たもの、考えたことについて、じっくりと話す努力をしないまま、時を過ごしてきた。

しかし二〇二〇年初春より世界を席巻したコロナ禍における生活で、そろそろ一九六一年の旅と向きあってみようという気になった。ロックダウンされたニューヨーク市で、内向きな生活を余儀なくされる日々を送りながら、「一体この国をどれだけ知っているのだろう」という疑問が膨らんだのが、心境の変化の始まりだった。高校の途中で、父の転勤にともない初めてやってきて以来の、長い付きあいのアメリカ。でも付きあえば付きあうほど、わからなくなる「理解し難くも離れられない」アメリカ。やがてそれは、私の家族にとってのアメリカ、あるいは日本人にとってのアメリカ、そしてアメリカ人にとってのアメリカとは何かという、漠然とした、かつ終わりのない問いへと連なっていくのだった。

奇しくも私のなかの疑問の膨らみと時を同じくして、ここ数年来のアメリカ社会の分断がさらに深まっていった。二〇二〇年五月、ミネアポリスで起きた警官による黒人男性ジョージ・フロイド殺害事件が起爆剤となり、BLM(Black Lives Matter 黒人の命も大切)の抗議運動に火がついた。各地で行なわれるデモでは、参加者がおおむね距離をおき、感染予防のマスクを着用する姿が目立っていた。その一方で、ドナルド・トランプの大統領再選を望む支持者たちは、マスクを着用せずに大集会を催し続けた。選挙後も、頑なに敗北を認めぬトランプに煽動され、「バイデンが不正に票を盗んだ」(Stop the Steal)とがなり立て、挙げ句の果てには、米連邦議会議事堂に乱入し、死者を出すほどの大混乱を引き起こした。ここでもっとも注目すべき点は、BLMとトランプ支持、いずれの抗議運動も、アメリカが象徴し、守るべきとしている「自由」と「権利」の名のもとに行なわれたことだ。

アメリカ社会の抱える問題の根本には、理想と現実のギャップがある。土地の強奪、奴隷制、女性・マイノリティー差別などの歴史が織り成してきた現実は、アメリカ建国の、すべての人のための「生命、自由、幸福追求」という理想とは、明らかにかけ離れている。それでも世界中の多くの人々、とくに若者たちは、アメリカに憧れ続け、それが掲げる理想や、醸し出すイメージのなかに、より良い人生や社会の夢を投影させる。「もはやアメリカには魅力がない」、「すでに失墜した帝国だ」、という意見もあるだろう。そしてそれは比較的にみて正解だ。アメリカのブランド力の絶頂期は、すでに過ぎ去った時代、おそらく、若さや民主主義への希望を存分にアピールした、ケネディ大統領の率いる、短い日々だったのではないだろうか。

一九六一年一月二〇日、四三歳のジョン・フィッツジェラルド・ケネディは、第三五代アメリカ合衆国大統領に就任した。一九六三年一一月二二日にダラスで凶弾に倒れるまでの、三五カ月間の在任期間だった。六〇年前というと、人間の人生の物差しではかればずいぶんと昔に思えるが、長い人類史の観点からすれば、せいぜい「近過去」だろう。その時代、アメリカには、多くの欠点はあれど、理想に向かって突き進んでいると思わせる勢いがあった。冷戦のライバル、ソ連とその影響下にある東側諸国は、鉄のカーテンの向こうからも、不穏な独裁主義、警察国家のオーラを漂わせていた。その対極にあるアメリカは、明るく、オープンな社会を志す、自由民主主義の担い手であることを自負していた。理念的に正しい側にいるというアメリカの自信は、人々に自国の政治や制度の不具合を糾弾する勇気をも与え、やがて人種差別撤廃のための公民権運動、ウーマンリブ、ベトナム戦争抗議などをもたらし、社会運動の側面からも、「西側」の国々を引っ張っていったのだ。

そんな理想に満ちた眩しいアメリカを、私は知らない。だがその残光には十分触れてきたし、いまだに感じることもある。現に、日本人である私と、ヨーロッパ人の夫が、アメリカで生まれた、つまり必然的にアメリカ人でもある娘を育てながら、ニューヨークの、それも黒人文化のルネッサンス発祥地であるハーレムに、自らの意思で一二年以上生活している。何らかの縁、憧れ、そして夢を感じていなければ、この国に、そしてこの街に住み続けることはないであろう。でもそのような感情を簡潔に言葉にしようとしても、うまく言葉にならない。私を含め、人々がアメリカと見続ける夢とは何か。それを知る手がかり、足がかりを求めて、私は一九六一年の父の旅を追ってみたい。

誰が水先案内人になるのか。父はこの旅の道中、日記をつけていなかった。だが残る三人のうちの二人には旅の記録がある。お二方に共有していただいた旅日記は、事実の照合を可能にする以上に、それぞれ特徴のある筆運びがあり、味わい深く、私の想像を、より膨らませてくれた。六〇年前の彼らの旅を大まかにトレースしながらも、ここに続くエッセイは紀行文ではないし、家族史とか、ましてや自分史の試みでもない。そして様々な優れた論考がすでにみられる戦後論の試みでもないし、アメリカ評論でもない——それらの要素がないかといえば決してそうではないが、目ざすのは、一九六一年の夢に照らされて、現在の我々の視界が少しでも明るく、大きく広がり、さらに考えたり、悩んだり、楽しんだりするきっかけになることだ。

（以下、本編は文中敬称略）

目次

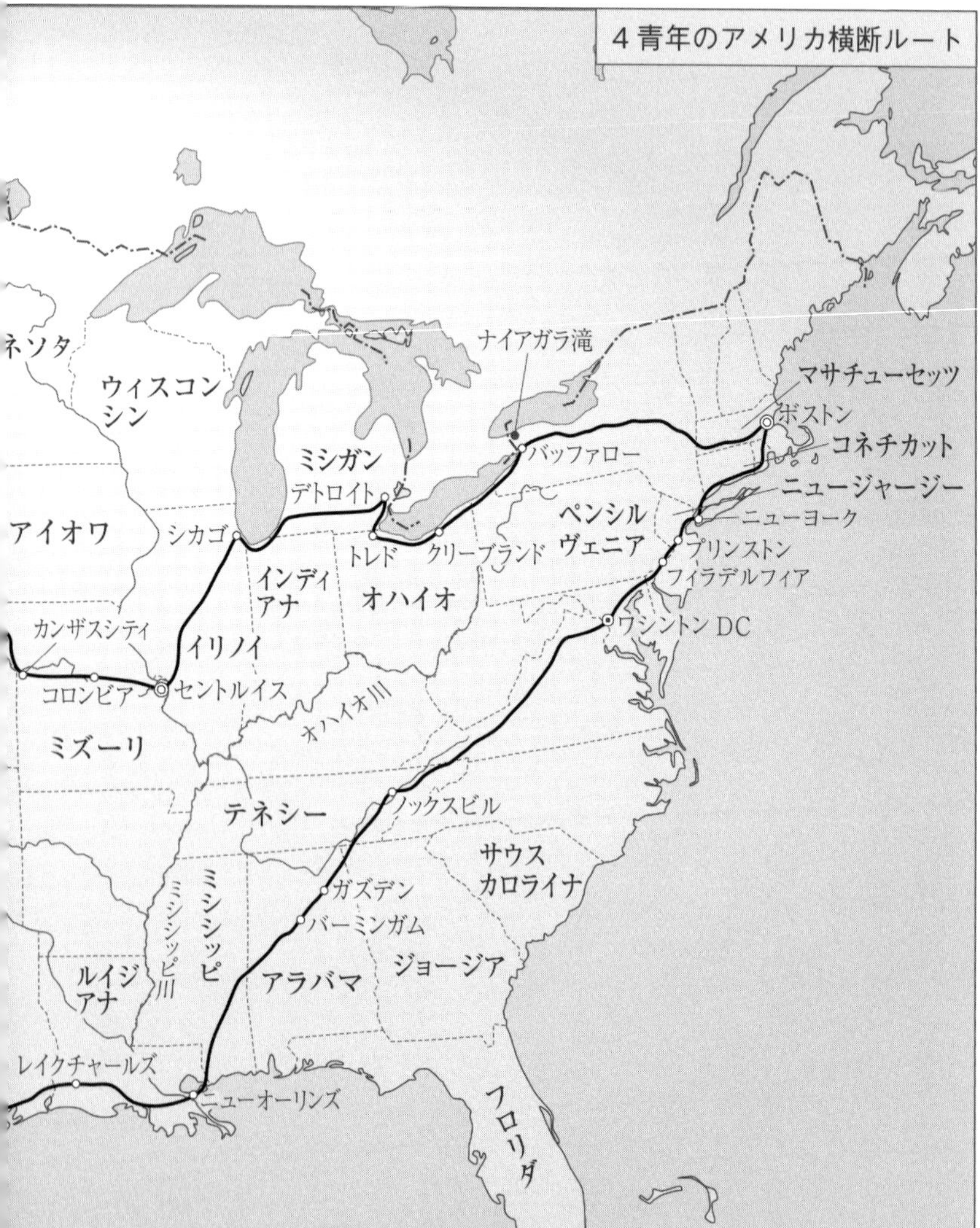

4青年のアメリカ横断ルート
ネソタ
ウィスコンシン
ミシガン
アイオワ
イリノイ
インディアナ
オハイオ
ペンシルヴェニア
マサチューセッツ
コネチカット
ニュージャージー
ナイアガラ滝
ボストン
バッファロー
デトロイト
シカゴ
トレド
クリーブランド
ニューヨーク
プリンストン
フィラデルフィア
ワシントンDC
カンザスシティ
コロンビア
セントルイス
オハイオ川
ミズーリ
テネシー
ノックスビル
サウスカロライナ
ガズデン
バーミンガム
ミシシッピ
ミシシッピ川
ルイジアナ
アラバマ
ジョージア
レイクチャールズ
ニューオーリンズ
フロリダ
◎州都　◦その他の都市　⊙首都

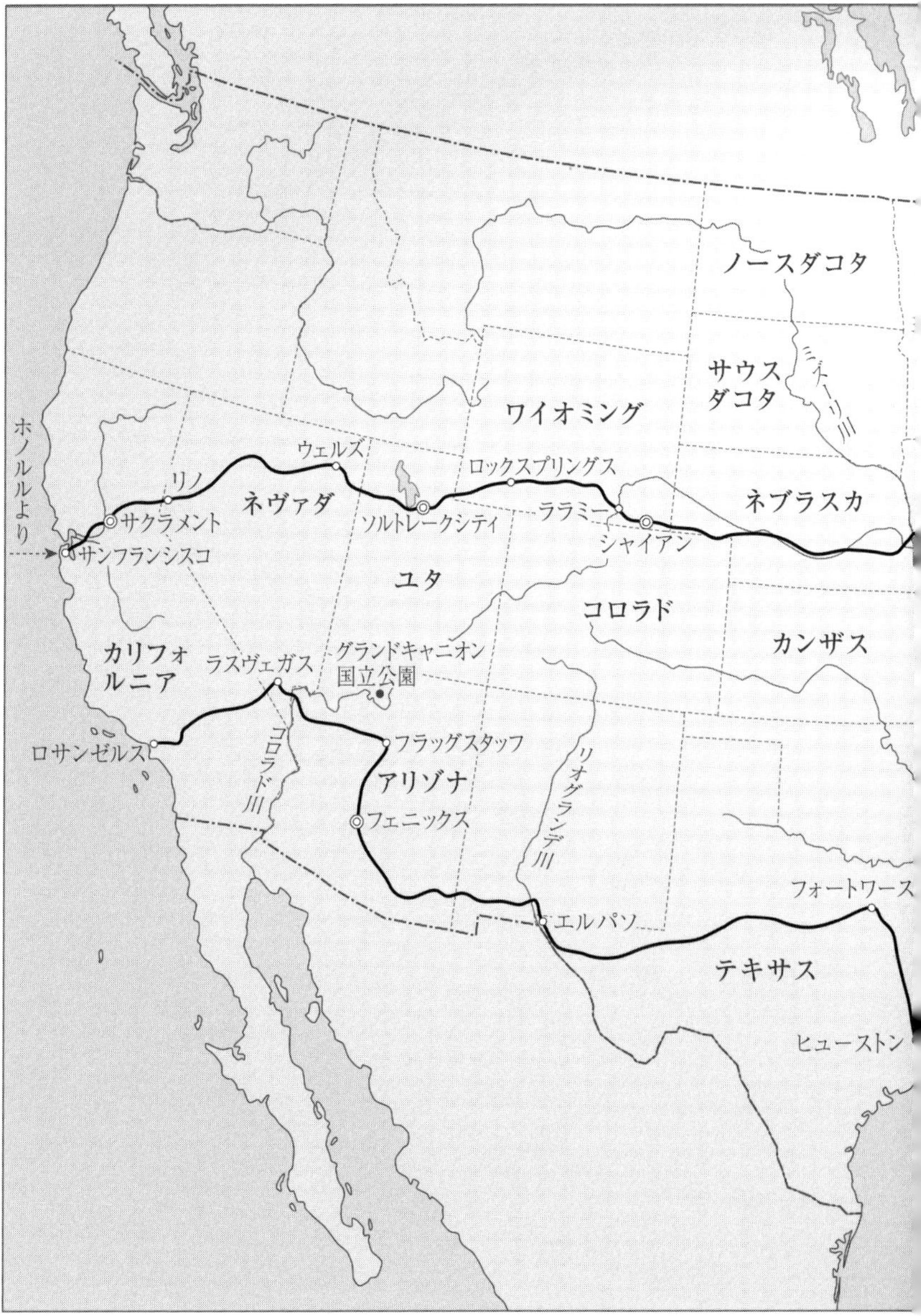
ホノルルより
ノースダコタ
サウスダコタ
ミズーリ川
ワイオミング
ウェルズ
ロックスプリングス
リノ
ネヴァダ
ネブラスカ
ララミー
サクラメント
ソルトレークシティ
シャイアン
サンフランシスコ
ユタ
コロラド
カンザス
カリフォルニア
グランドキャニオン国立公園
ラスヴェガス
ロサンゼルス
フラッグスタッフ
コロラド川
アリゾナ
リオグランデ川
フェニックス
フォートワース
エルパソ
テキサス
ヒューストン

第Ⅰ章　99ドル99日間全米バス旅行

分岐点としての1961

ホノルルからサンフランシスコへ

一九六一（昭和三六）年一〇月一二日午前一〇時、四名の大学生が、日本航空FY80便で羽田空港から、ハワイへと飛び立った。それはアメリカ本土を目ざす長い旅の第一行程に過ぎなかった。ウエーキ島での給油を経て、ホノルルで一晩のレイオーバーの後、また飛行機に乗った。大きく揺れる機体で全員が乗り物酔いに苦しみながらサンフランシスコに到着したのは、現地時間で一〇月一三日の朝だった。

旅のメンバーは、細野徳治(早稲田大学政治経済学部二年生)、増尾光昭(東京大学法学部三年生)、宇津木琢弘(慶應義塾大学経済学部三年生)、そして私の父、堀田健介(同四年生)だった。海外旅行が多くの日本人にとって夢のまた夢だったこの時代、彼らは、いったい何をしようとしていたのか。それには細野の父親である細野軍治という人物が、深く関わっていた。一八九五年生まれの彼は、南カリフォルニア大学に留学後、ニューヨークのコロンビア大学から博士号を取得した国際政治学者で、一九二〇年代後半から三〇年代前半にかけて、ジュネーブの国際労働機関(ＩＬＯ：International Labour Organization)に、日本の代表として駐在していた。いわば戦間期からの、筋金入りの国際協調主義者だった。戦後は大学で教鞭を執りながら、日本国際連合協会設立に携わるなど、日米交流の発展に力を入れていた。そのなかで、一九五一年に視察旅行の一環で来日した三四歳の下院議員ジョン・Ｆ・ケネディの知己を得たのだった。

出会いから一〇年後、細野はケネディの大統領就任式にただ一人、民間の日本人として招待されるほど、ケネディ一族と親しくなっていた。直接の交流を通して、息子の徳治を含めた日本の青年グループを、使節団のようなかたちで送り込む話が持ち上がったようだ。

形式的には、細野が理事長を務める日本外政学会からの派遣という形をとることになった(この組織は、アメリカのカーネギー財団を念頭に、一九四六年に設立された、国際問題を研究する民間団体だった)。息子の旅仲間として、細野はまず知人の子息である増尾光昭に声をかけた。そこから増尾の成蹊高校時代からの友人、宇津木琢弘と堀田健介にも話が伝わった。宇津木や細野の記録によると、外政学会の派遣とはいっても、往復の渡航費の一部を学会が負担したほかは、経費も個人負担であり、家庭の経済環境も考慮したうえでの声がけだったと思われる。また増尾、宇津木、堀田の三人は、それまでも国内旅行をともにするような親しい仲で、気心が知れていた。そのことも、彼らがまとめて選ばれた理由かもしれない。応募者の数や倍率など人選の詳細は記録がなくわからないが、後日アメリカでの見聞録を外政学会から出版するという計画の下に、晴れて正式な派遣を言い渡されたという。

「海外旅行自由化」へのカウントダウン

これはすべて海外旅行が自由化される前の話だ。今日の感覚で想像するのは難しいが、随分と大胆な計画だったはずだ。ちょうど一九六一年の秋、寿屋(現サントリー)は「トリスを飲んでHawaiiへ行こう!」のキャッチフレーズで、懸賞キャンペーンに打って出た。山口瞳の絶妙なコピーと、柳原良平の手による洒脱なアンクルトリスのイラストの相乗効果もあって、このウイスキー購買促進企画は、確実に日本人の海外旅行への夢を掻き立てた。ただ、当選すればすぐにハワイに行ける、というわけではなかった。当たった人は、毎月定額が積み立てられていく「ハワイ旅行積立預金証書」がもらえる仕組みだった。つまり一九六四年に行なわれる海外旅行自由化を見すえての、すぐには手に入らない景品だ。一九六一年、ほとんどの日本人にとって、ハワイでさえ、それほどまでに遠い地だったのである。

個人による海外渡航が困難だったそのような時代に、何が細野軍治を突き動かしたのだろう。愛息の見聞をひろめるための「グランド・ツアー」として旅の実施に奔走した、という穿《うが》った見方もできるかもしれない。ただそれだけとも思えない、理想的で画期的な側面が、この計画には十分にあった。というのも細野は若い四人に、「平和部隊」の実態を調べるようにと、より具体的な課題を示したからだ。

平和部隊――Peace Corps――とは、ケネディ政権の若者への期待を具現化する政策の代表格で、就任間もなくの一九六一年三月に、大統領令で設置された組織だ。これが日本の青年海外協力隊にもつながる若者による海外支援活動、国際理解の試みのスタートだった。大統領の弟、ロバート・ケネディ司法長官は、四人が平和部隊について学ぶことに協力を惜しまなかった。国の違いはあっても、若者こそが未来の変革をリードし得るという思いが強かったのだろう。実際、司法長官は翌一九六二年の二月、日本の若者とのより深い対話を求め、細野軍治の母校で、細野徳治が在学する早稲田大学に来校している。大隈講堂で行なわれた講演会では、「帰れ」「質問に答えろ」と野次を飛ばしてくる学生たちとも丁寧に対話しようとする司法長官の姿があった。次世代の活力に賭けるケネディ政権の真骨頂が、存分に発揮された一幕だった。

いうまでもなく日米政府間には、よりフォーマルで強力な、日本の外務省と米国務省との繋がりがあった。それに比較すれば、四人の平和部隊調査のための訪米は、あくまでも私的で、象徴的な試みに過ぎなかった。しかしこの時代のアメリカが、世界の若者に向けて発していたメッセージの魅力を理解するうえで、四人の旅は、いまだに多くのことを伝え得ると私には感じられる。多少の身内びいきや感傷主義もあるかもしれない。だがアメリカの呼びかけに呼応するかたちで、日本の好奇心旺盛な四青年が旅をし、見聞をひろめたという事実に、六〇年後の今日も、まぎれもない清々しさ、新鮮さを覚えるのである。

四人が日本を発った翌日、現地の日本語新聞に掲載されたと思しき記事の切り抜きが父の手もとに残っていた。「東京三大学の学生、著作の為渡米――米大統領著書に刺戟《しげき》されて」のタイトルで、いかに彼らがケネディ大統領の大学時代に感銘を受けたのかを述べている。ケネディはハーバード大学の卒業論文をもとに、一九四〇年、『英国はなぜ眠ったか』(*Why England Slept*)を著した――とされる(実際には、息子の大出世を夢見た父親ジョセフ・ケネディがゴリ押しして出版に漕ぎつけ、多大な編集と加筆がなされた)。平和部隊への言及こそないが、ケネディの若いアメリカから何らかを吸収しようとする気概は、十分感じられる。その記事によると、四人も大統領の前例に倣《なら》って「大学在学中に書物を著」すべく、「帰国の上は講演その他の方法で研究の発表が行われたる後書物に纏《まと》められ出版されるもの由」とある。

旅行中，宿泊先で(左から増尾，宇津木，細野)

四人の帰国後、座談会などで旅の印象をまとめる試みはあったものの、残念ながら著作の発表までにはいたらなかった。そしてすでに四年生だった父に関していえば、そのような時間もなかった。本人にこの旅のことを尋ねると、「いい加減な旅行」としつつも、自分のなかに

「アメリカに対する大きな憧れをもたらした旅行」だとも言う。いずれにせよ四人にとって、これが人生最大の冒険だったことは、間違いないだろう。父などはまさに廃墟のなかで学童となった。その頃、日本中の小学生がＧＨＱ配給の給食を食べ、墨で塗りつぶされた国民学校時代の教科書で、授業を受けていた。そして物資、とくに食料の不足が、自分たちの成長とともに、日に日に解消されていくのを、身をもって経験していった世代でもある。

一九六一年といえば、日米開戦から二〇年、終戦からは一六年しか経っていない。そもそも海外へ出るのに厳しい規制が続いていること自体が、いまだに日本が、戦争の落とす影とともに生きている確固たる証拠だった。政治環境も、占領から五五年体制への移行を遂げるなかで、とくにアメリカとの関係のありかたを問う声が、つい最近まで上がっていた。まさに旅の前年の一九六〇年は、岸信介内閣下で行なわれた日米安全保障条約改定と、その批准をめぐっての大規模デモが行なわれた年だった。国会を取り巻く反対運動では機動隊と衝突が起こり、デモに参加していた東大生樺《かんば》美智子が死亡し、重傷者が発生するという最悪の事態にいたった。条約改定は強行突破されたものの、予定されていたアイゼンハワー米大統領の来日は取りやめになっている。

その後、デモの嵐などなかったかのように、日本社会は経済重視路線をまっしぐらに突き進むことになる。大蔵官僚出身の池田勇人首相とその新内閣は「国民所得倍増計画」を掲げ、一九六一年から一〇年の間に実質国民総生産を倍増させることを誓った。戦前、戦中の「軍事化」に取って代わる、国民生活の「経済化」が、非常にわかりやすい明確な目標とともに推進され、受け入れられ、達成されていったのだ。そしてこの時期にこそ、日本の国家アイデンティティが、物質的豊かさにより深く根差し始めた。後に続く経済高度成長、バブル、その崩壊と、失われた一〇年、二〇年、もしくは三〇年の原点が「所得倍増計画」にあったともいえる。

一部の大学生が改憲や再軍備を危惧し「安保反対！」を叫んでいた頃、父をふくめ、四人の旅人は、いわゆるノンポリだった(父がもっぱら熱中していたのはラグビーで、一時は本気で社会人ラグビーの道へ進もうと考えていたようだ)。よって闘争後の大きな虚無感、挫折感に苛《さいな》まれることなく、この社会的方向転換を受け止めたと思われる。彼らの出発の月、一九六一年一〇月に、六八九トリオ(永六輔作詞、中村八大作曲、坂本九歌)の楽曲「上を向いて歩こう」が、レコード化された。やがてアメリカでも「Sukiyaki」のタイトルでビルボード一位を記録するこの作品は、静かに、確実に、哀しみや暗闇のなかから這い上がろうとする日本国民の決意を、見事に反映していた。歌い手同様「涙がこぼれないように」、そして幸せを「雲の上に」、「空の上に」見出そうとするがゆえに、上を向いて進む必要があったのだ。

1964というゴールデンイヤー

もうひとつ、一九六一年の日本をより良く理解する見方は、三年後の一九六四年を基準点にすることかもしれない。一九六四年は、戦後日本のゴールデンイヤーだ。東京オリンピックの開催に止まらず、新幹線の開通、経済協力開発機構(OECD)への加盟など、世界レベルの華やかな話題が豊富だった。まさに戦争ですべてを失ったかのようにみえた日本が「陽の当たる場所」に、みずからの居場所を見つけた年であった。一九六一年とは、来る栄光へ向けて、国民の期待が一気に高まった時期だ。まさに四人の羽田出発の前日、一〇月一一日には、オリンピック記念切手の第一次販売が開始されている。

父が育ち、そして青年となった光と影の共存する日本を考えると、同時によみがえる私自身の思い出の情景がある。話し上手の父は、休日の夜、ほろ酔い加減で気分が乗ると、就寝前の姉と弟と私に、ベッドタイムストーリーを披露してくれたものだった。その内容は、あるときは『四谷怪談』だったり、我流に脚色したとんち話だったりとさまざまだったが、幼い私たちが一番面白がったのは、父自身の子供時代の追想だった。なかでも戦争中、琵琶湖の北西、滋賀県高島郡新儀村《しんぎ》に疎開していた四、五歳の父が、常に空腹に苛まれ、イナゴを必死で捕まえて食料確保をしたというエピソードが思い出される。語り口に悲壮感はなく、コメディ仕立てに終始してはいたものの、日本にイナゴの佃煮を食する伝統があることさえ知らなかったその頃の私は「パパはそこまでお腹が空いていたのか」と、非常に驚いたのだった。

空腹に支配された父の幼少期を思うと、戦後にいくら日本の栄養事情が改善されたとはいえ、四人が見たアメリカは、その食べ物だけをとっても衝撃的だったはずだ。宇津木の旅日記には、ハワイの農園で口にした「忘れられない」パイナップルの味を皮切りに、食事に関する記録が多くある。決してすべてを美味しく感じたわけではないようだが、食堂で出される一人前のサイズや、ハンバーガー、カクテルのオールド・ファッションドといった、初めて口にする味の感想には、ナイーブで飾り気のない記述スタイルと相まって、心を打たれる。そういえば私も高校生で初めてアメリカに住んだとき、炭酸飲料の缶の大きさに驚き、こちらの人はなぜ普通に飲めるのだろう、と不思議に思ったことがあった。それでも慣れというのは恐ろしいもので、数年後、アメリカで大学生になった私は、徹夜で小論文を仕上げる際に、カフェイン入りのダイエットコーラを次から次へと飲み干すようになっていた。そしていつの間にか、スリムだった日本の缶入り炭酸飲料も、アメリカン・スタンダードの一二オンス＝三五五ミリリットルのサイズへと近づいていった。

細々とした買い物についても、宇津木と細野の旅日記は値段とともに記録してある。日記をつけていなかった父も、旅のあとにまとめたアルバムに、一泊一ドル強で泊まったホステルのレシートを記念として貼っている。出費には、全員が相当気を遣いながらの旅だったと想像できる。なにしろ外貨の持ち出し規制のために、一人につき二〇〇米ドルを携えての出発だった（段取りでは、旅の中間点のワシントンDCで細野軍治と合流し、さらに各自五〇ドルを追加支給してもらう、ということになっていた）。だが、それは「たかが二〇〇ドル」とはいえない大金でもあった。一九四九年から続く固定相場で、一ドルは三六〇円。換算すると二〇〇ドルは七万二〇〇〇円になる。当時の大卒公務員の初任給は約一万三〇〇〇円、喫茶店で飲むコーヒーが二五円ほどの時代である。四人の羽田での所持金を合わせれば二八万八〇〇〇円で、「三種の神器」と謳《うた》われた白黒テレビ、洗濯機、冷蔵庫の家電セットが、二組買える金額を携えての旅立ちだった。

そんな日本人にとっての大金も、アメリカでは長くもたない。バスの乗り放題チケットが

「99ドルで99日間乗り放題」という、現地の物価感覚において破格の安値でも、四人にとっては大層な額だったということだ。細野の記録によると、手持ち予算の半分にあたるこのチケットを、四人は出発前に日本で購入済みだったらしい。でなければいくら安宿を渡り歩いたとしても、軍資金が足りなかったはずだ。最強の切符を手に、皆、後には引けない、この際「何でも見てやろう」と、腹を括《くく》ったのではないだろうか。

素晴らしい新世界!

旅行記のプロトタイプ

『何でも見てやろう』は、一九六一年に河出書房新社から出版された、小田実による時代を超えるベストセラーのタイトルだ。小田は一九五八年に、フルブライト奨学金を得て、ハーバード大学に一年間留学した。その後アメリカ国内、そしてヨーロッパとアジアをわずかな所持金で渡り歩き、その体験をまとめたのが『何でも見てやろう』だった。二月に発売されていたこの本を、父も出発前に読み、これから始まる旅への期待を膨らませたという。若さと機転で立ち回り、困難を糧として、未知の世界にひとりで飛び込んでいく豪快で、肝の据わった小田の姿勢は、やがてくる海外旅行自由化後のヒッピーブームやバックパッカー・ヒッチハイク旅行の醍醐味を先取りしていた。小田の著作以前にも、犬養道子による『お嬢さん放浪記』(一九五八年)や北杜夫の『どくとるマンボウ航海記』(一九六〇年)といった、若い書き手による、世界を股にかけたユニークな旅文学が読まれてはいた。だが小田の二〇カ国にわたる冒険は、より意識的に、より貪欲に、旅のなかに自己発見や知的形成を求めている点で画期的であり、バックパッカーのバイブルともいえる沢木耕太郎の『深夜特急』シリーズに、プロトタイプを示した作品ともいえる。

小田の大胆不敵な旅に比べれば、四人の旅行からは、どうしても「おぼっちゃま感」が拭えない。大学訪問や司法長官訪問など、事前の準備が不可欠な性質の旅程を含んでおり、当然といえば当然だった。それに社会経験もない息子たちを外国に送り出す親としても、できるかぎりのサポートはしたいと願ったであろう。国際電話や電報で「今度息子たちがそちらへ行くので、よろしくお願いします」といったやりとりが、多くあったに違いない。

それでもそこから始まる旅は、全行程六四日間のうち三一泊をユースホステル、一一泊をバス(そのほかは機内や船内、知人宅泊)という、贅沢とはほど遠いものだった。とくにバスを乗り継ぐ行程は、何が起ころうと、自分たちの力で乗り越えるしかない。それゆえに、困難と発見も多くあるのだった。長距離バスの旅が本格的に始まるのは、サンフランシスコで四泊してからだった。それまでの間、四人はアジア財団やカリフォルニア州立大学バークレー校を見学したり、迷子になったついでにケーブルカーに乗ったり、大規模農場コーダ・ファームを見学したり、バスで足を延ばしたスタンフォード大学では、いよいよ平和部隊について学んだりと、こまめに動きまわっている。

コーダ・ファームを訪れたのは、サンフランシスコ滞在二日目にあたる一〇月一四日だった。

農場主の国府田《こうだ》敬三郎は一八八二年に福島県に生まれ、いったんは小学校教師となったものの、子供時代からの夢であったアメリカでの成功を追い求め、一九〇七年に渡米した。新天地での生活は、厳しいものだった。VI章でもふれるが、国府田の人生は、戦前、戦中、戦後にわたり、自然災害、人種差別、強制収容、不公正法との戦いで、「一難去ってまた一難」の連続だった。だが一九六〇年代前半までには、日本の米に近い短粒米の大量生産に初めて成功し、その米は「国宝ローズ」の名で全米に知れわたることになる。現在でもアメリカのごく一般的なスーパーマーケットで手にすることのできるこのブランドは、一九六三年に販売が開始されたため、四人の訪問時は、まだ試験栽培の段階だったと考えられる。飛行機による種まきなどで機械化が進む農場は、五〇〇〇エーカー(二〇〇〇ヘクタール強)あり、水田や綿畑、小麦畑がひろがっていた。国府田は祖国からやってきた若い訪問者たちに「水と労働力があればまだまだ開拓可能」と断言したという。だが問題は、若者が働きたがらないことだと、嘆くのだった。

日本移民史のなかでも異彩を放つこの立志伝中の人物の印象を、宇津木がこう記録する。

「Koda 氏の顔は苦労と汗が文字どおり焼きつけられ八〇才《ママ》とは思えぬ若さであった」

一見矛盾しているようだが、苦労と汗で老いるのではなく、困難と向き合い、汗を流した分だけ若々しく映る、という観察は、アメリカの独特の魔力を理解するのに、言い得て妙だと、感心してしまう。その歴史をとおして、新世界アメリカは、常に若さを象徴していた。それは旧世界ヨーロッパの人々の想像のなかで、活力に溢れ、老いとは無縁の場所だった。だからこそ、一六世紀初頭のスペインの探検家ポンセ・デ・レオンは、フロリダに「若返りの泉」を求めたという伝説が残る。魔法の泉が発見されることはなかったが、それでも新世界には、それまで見たことのないように美しく、不思議な生き物や植物が生息していると多くの人が信じ続けた(たとえばコロンブスが「インディアンの松」と呼んだパイナップルは、そんな不思議な新世界植物の代表格だ)。

コーダ・ファームの綿畑で(中央が国府田)

人生をリセットできる場所

新世界はまた、古くから、人生のリセットを可能にする場所だと考えられていた。それはシェイクスピアの最後の戯曲とされる『テンペスト』に顕著だ。弟の陰謀により追放の憂き目にあったミラノ公プロスペローと娘のミランダは、絶海の孤島に流れ着く。ミランダは、そこで初めて目にする父以外の人間を見て感激する(第五幕第一場。以下文献の翻訳は著者による)。

すごい! 素敵な生き物がこんなにいるなんて。人間は本当に美しい! こんな人たちがいるなんて、素晴らしい新世界!

"Oh, wonder! How many goodly creatures are there

here! How beauteous mankind is! O brave new world, that has such people in't!"

だがミランダが目にした美しい人間は、実は新世界の住民ではなかった。彼らは主人公プロスペローが魔術で嵐(テンペスト)を起こし漂流させた、ナポリ王アロンゾーとその王子ファーディナンドだった。若く美しいミランダとファーディナンドは恋に落ちる。そしてプロスペローはかつての政敵たちと和解し、劇は大団円を迎える。

『テンペスト』に描かれる新世界の孤島は、プロスペローにとって、それまでの生活と決別し、魔術を習得し、昔とは違う自分をセルフ・プロデュースできる場所だった。だがその一方で、彼は過去に執着し、自分を裏切った者たちへの復讐の念から、嵐を巻き起こす。さらにミランダが、新世界の美しい生き物だと思った人間たちは、自分自身も含め、元はといえば、すべて旧世界からやって来た人々だった。結局のところ、どこにいても過去を捨て去ることはできず、新世界でしか見つけられないと思ったものも、実は前から知っていたのかもしれない――この「素晴らしい新世界」は、おおむね想像の産物なのではないか、というのが私なりの解釈だ。国府田のチャレンジ続きの人生がそうであったように、自由や成功を確保するには、苦労がつきものだ。そして努力や苦労をしたとて、必ず成功するわけではない。「すべての人間は平等につくられた」のではなく、はたまたすべての人に、公平なチャンスが与えられるわけでもないのだ。

国府田のようなアジア系移民が直面した困難とはまた別レベルのあからさまな不公平が、アメリカ社会の根底にあることに、四人は旅の早々、気づかざるを得なかった。黒人の立場の脆弱さだ。深夜にホノルルに到着した際、閑散とした空港で、なかば強引に黒人のポーターに荷物を運ばれ、仕方なくチップを払ったのが、グループが体験した最初のアフリカ系アメリカ人とのコンタクトだった。

この一瞬の出来事が、肌色に根差すアメリカの社会構造を雄弁に物語っている。ポーター、つまり荷物を運搬したり、清掃などの雑事をこなす赤帽は、南北戦争以降、一般的に黒人が従事する職業だった。というのも、一八六七年に設立された鉄道車両の製造ならびに運行を担った鉄道会社プルマンは、奴隷制から解放されたばかりの黒人を、意識的にその職にリクルートしたからである。会社の創始者であるシカゴの実業家ジョージ・プルマンは、その理由を述べている。第一に、「元奴隷であった人々は、気まぐれな客の対応にも慣れているうえ、安い賃金で長時間働くことを厭《いと》わない」。そして「とくに肌色の濃い黒人は、黒子のごとく背景にブレンドして、中流、上流の白人の鉄道利用客の目障りにならず、邪魔にならない」。

現代の感覚からすると、不快であると同時に臆面もなく明快なプルマンの雇用方針はまた、雇い口がかぎられていた黒人たちにとって、現実的な救いの手を差し伸べた。腰を曲げての綿摘みに比べれば、報酬的にも、待遇的にも、「プルマン・ポーター」になることは、確実なステップアップを意味したのだった。経験を積んだポーターのなかには、一流レストランやホテル、富裕層の家庭で雇われる者もいた。地道な努力を積み重ねたポーターの末裔たちが、やがて教育を手に入れ、公民権運動を牽引する黒人の中産階級を構成していったのだ（黒人初のアメリカ合衆国最高裁判所判事サーグッド・マーシャルと、黒人初のサンフランシスコ市長ウィリー・ブラウンは、ともにプルマン・ポーターの子孫だった)。空の旅の時代になると、ポーターの需要は、空港にもひろがっていった。四人が初めてアメリカで接触した黒人がポーターだったのには、そのような社会的、経済的背景が存在したのだ。

さっそく四人は、サンフランシスコ市街見物の折に、アメリカの黒人コミュニティが抱える問題を目の当たりにしている。そこにははっきりと「色分け」されている住宅地があった。奴隷制が一八六三年に廃止されてまだ一世紀経たないとはいえ、黒人の住む古い住宅を美化の名のもとに取り壊し、追い出された人々を黒人だけの集団住宅に押し込むという政策は、差別を和らげるどころか助長し、システム化しているという印象を、訪問者たちに与えた。さらに度合いは違うとはいえ、そのような差別の延長に、日本人を含む他の非白人に対する差別が存在することも明らかだった。旧約聖書に由来し、アメリカを形容する際によく使われる「ランド・オブ・プレンティ」(Land of Plenty)は、なんでもたっぷりあって、豊かな状態を表すとされている。だが人種問題もまだまだ「たっぷり」ということなのだった。こうした気づきは序の口で、四人はアメリカ大陸を奥深く進むほどに、この問題について考えさせられるようになる。

「アメリカ帝国主義の手先」

スタンフォード　独特のキャンパスライフ

四人はサンフランシスコ滞在の最終日である一〇月一六日を、スタンフォード大学訪問に費やした。グレイハウンドのバスに乗って一時間ほどのパロアルトに到着後、大学事務局の女性に案内されてキャンパスを見学する。コーダ・ファームをさらに二倍ほどにした広大さだった。その後、大学内にある第三一代合衆国大統領ハーバート・フーヴァーが設立したシンクタンク、フーヴァー戦争・革命・平和研究所を訪ねた。そこには慶應のOBで、ハーバードを経て西海岸にやってきた高瀬保が在籍しており、蔵書を見せてもらっている（高瀬はのちに、佐藤栄作首相の密使として、沖縄返還に大きな役割を担う人物だ）。ランチは、女子学生を含むメンバーで賑やかに行なわれた。当時のスタンフォードは、共学とはいえ男女学生の比率が四：一だったが、「こういう席には、必ず男子と同数の女子を招くというアメリカの習慣が私たちを喜ばせる」と細野が記している。それが終わると今度は国際関係インスティチュート（IIR：Institute of International Relations）を訪問した。

スタンフォード特有のキャンパスライフを理解するうえで、IIRは大変重要だ。それは一九四六年、兵役から戻った学生たちによって「二度と悲惨な戦争を起こさない」、という大志のもとに設立された。すべての学生が自動的にそのメンバーとみなされ、活動費も、学費から捻出されていた。実際の運営は四〇〇人ほどの学生が中心となって行ない、留学のサポートや、出版、講演活動など、さまざまな企画に携わっていた。ケネディ大統領肝煎りの平和部隊関連の啓蒙、促進運動も、スタンフォードではこの組織が担っていたため、四人もIIRを訪問する運びとなったのだ。IIRの学生会長と面談し、この際に平和部隊の説明もしてもらった。

ただこの時点でIIRの学生会長が、どれだけ新しい情報を提供ができたのかは疑問だ。その年の春に始まったばかりの平和部隊の派遣は、一九六一年内に約五〇〇人の教員と技術者のボランティア派遣を成し遂げたものの、議会の正式承認を得ていない、試験段階の、まさに発展途上のプログラムだった。小規模の訓練や最初のグループの派遣はすでに始まっており、志願者約一万人中、一割の一〇〇〇人しか入隊できないという人気のプログラムではあったが、実績も経験値も足りず、すべてが手探りの状況だった。四人がスタンフォードを訪れた数週間前には『平和部隊完全ガイド』という手解《てほど》き本が、発刊されたばかりだった。それもガイドというよりは、平和部隊の理念を知ってもらうためのパンフレットのように読める。本の序文は三月に平和部隊の初代長官に就任したサージェント・シュライバーが寄せている(シュライバーの妻はスタンフォードで社会学の修士を取り、スペシャル・オリンピックスの創設者としても知られる大統領の妹ユーニス・ケネディだった。彼らの娘がハリウッドスターで、元カリフォルニア州知事アーノルド・シュワルツェネッガーとの結婚でも知られるニュースキャスター、マリア・シュライバーだ)。

興味深いのは、この始まったばかりのプログラムが、すでにいくつかの強固なステレオタイプと戦っていた点である。著者でジャーナリストのロイ・フープスは、「平和部隊に関するよくある勘違い」と銘打って、そんな固定観念を否定し、取り払おうとする。そのひとつは、たとえば「平和部隊は、兵役逃れの手段」という見方だ。実際は、平和部隊に参加しても、兵役は延期されるだけで、免除にはならない。それと関連して「平和部隊は、エリート大卒者のためのプログラム」という先入観も、すでに蔓延していた。だが農業をはじめ、特定のスキルをもった若者は、学歴に関係なく必要とされていると述べられている。そして最大のステレオタイプは「平和部隊のボランティアは、派遣先で藁《わら》小屋に住むことになる」という、いささか植民地主義的な偏見だった。もちろん贅沢とは無縁だが、現地基準での、分相応の生活はできる、と本では強調されている。

一枚のハガキから始まった「炎上事件」

これらのステレオタイプから浮かびあがる一九六一年の平和部隊員像には、「世間知らずのエリート」というイメージがつきまとう。そもそも大学教育自体が、今日想像するよりも、はるかに稀《まれ》なものだった。一九六〇年の統計では、二五歳以上を対象とした大卒以上のアメリカ人の人口比率は、七・七パーセントに過ぎなかった(二〇一九年には、大卒以上が三六パーセントまで引き上がっている)。平和部隊の試みに批判的な人は、何不自由なく育ったエリート家庭の子女が、大学卒業後に、海外援助という名目で、自分探しの旅をする、自己満足なプログラムに過ぎないとみていたようだ。少なくともケネディの前任者ドワイト・D・アイゼンハワー第三四代アメリカ合衆国大統領は、平和部隊を「青二才の実験」(juvenile experiment)と非難し、その存在意義にかぎりなく懐疑的だった。そして早速、そのような平和部隊批判に「それみたことか」と拍車をかけるような大事件が、四人の旅と同時進行で、起きていたのだった(実に四人はこの事件の第一報を、IIRの後に訪ねた大学新聞「スタンフォード・デイリー」のオフィスで耳にしている)。

事は、ナイジェリアに派遣された、平和部隊第一陣に属する隊員が書いた、一枚のハガキから始まった。差出人は東部の名門私立女子大スミス・カレッジを優等で卒業した二三歳のマージェリー・ミシェルモア。彼女はその年のケネディ大統領の就任演説中の「問うべきは、あなたの国が、あなたのためになにができるかではなく、あなたがあなたの国のためになにができるのかだ」("Ask not what your country can do for you but what you can do for your country.")という文句に突き動かされて、平和部隊入りを志願し、選りすぐりの第一次派遣グループのメンバーとなったのだった。この利発で理想に燃える若い女性を知る人は、彼女が平和部隊の存続そのものを脅かすような国際事件を引き起こすことなど、まったく想像できなかっただろう。だが一〇月一四日、それは起こった。平和部隊員たちが実地訓練を受けていたイバダン大学で、ミシェルモアがアメリカの友人に向けて書いたハガキが、運動家と思しき現地学生によって「見つけられ」たのだ。それがポストから盗まれたのか、道で拾われたのか、その経緯はかぎりなく曖昧だ。明らかなのは、それが封書ではなくハガキだったがために、他人の目に晒されやすくなったことだけだ。

ハガキの内容は、このようなものだった。

親愛なるボッボー、ハガキだからって怒らないでね。次は絶対に手紙を書くから。私たちがいる信じられないほど素敵な街を、あなたにも見てほしかったの。万全の準備はしてきたはずなのに、生活環境がここまで原始的だとは想像できなかった。市街も叢林《そうりん》地帯も両方よ。来るまで「発展途上」というのがどういう意味なのか、まったくわかっていなかった。本当に驚くべきことだったわ。でもこれは、最初の恐ろしいほどの衝撃を乗り越えた後に、非常にやりがいのある経験。私たち以外の誰もが、路上で生活しているのよ。料理も路上、商売も路上、あとトイレに行くのさえ路上って有様。返事を待ってるわ。

マージ

P.S. 私たちは、外の世界からとんでもなく切り離されてる。

このハガキを見た現地学生は内容に気分を害し、コピーをキャンパス中に拡散することで決起を呼びかけた。すぐに人々が集まりだし、平和部隊を「アメリカ帝国主義の手先」で、CIAが送り込んだスパイ団だと抗議した。今にも暴徒化しかねない勢いだった。不穏な空気を察知したアメリカ側の責任者は、ミシェルモアを早々に国外脱出させる。ローマ、ロンドン経由でニューヨークまで飛んだが、AP通信が事件の進展状況を細かく報じたため、行く先々で倍増する取材攻勢に苦しめられることになった。

思慮のなさ、無自覚の傲慢さ、愚かさで現地の人々を不快にし、仲間を危険にさらし、さらには平和部隊そのものの存続を危うくさせたと悩んでいた彼女に、ケネディ大統領からの電報が届いたのは、一〇月一八日、経由地のロンドンでのことだった。「親愛なるミシェルモアさん、ここ数日のあなたのしっかりとした態度に、我々が非常に感謝していることを知ってほしい。我々はあなたをサポートし、あなたが平和部隊に奉仕し続けてくれることを願っている。

どうぞよろしく。ジョン・F・ケネディ」

ナイジェリアに戻るのは無理だったが、ミシェルモアはワシントンDCの平和部隊事務局に勤務することになり、大統領の希望どおり、プログラムへの貢献を続けることになる。だがその後のミシェルモアの人生で、この一件が、大きな心の傷になったことは明らかだった。結婚で姓を変え、引っ越し、転職を重ねるなかで、事件と意識的に距離を置き、話さないことで傷を癒やそうとした。

とはいえ忘れようとして忘れられるものでもなく、母親が保管してくれていた平和部隊関連の思い出がつまった箱を、捨てられなかった。そこには応援の手紙だけでなく、ヘイトメールの類も入っており、長い間、怖くて開けられなかった。ある程度吹っ切れたのは、ナイジェリア派遣から四〇年を経た、二〇〇一年の平和部隊同窓会がきっかけだったという。当時の仲間から「あれは私にだって起こり得たこと」と言われて、救われたのだ。それからさらに一〇年後には、「ハガキ事件」について初めて自分の口で、スミス・カレッジの同窓会誌のインタビューに応じるまでの勇気が出た。それから程なくして、彼女は癌で亡くなる。三〇年をかけて執筆した第六代大統領ジョン・クインシー・アダムズの夫人ルイーザ・アダムズの伝記は遺稿となり、それは二〇一四年にイエール大学出版から出版された。「ハガキ事件」の当事者ではなく、一歴史研究家として人生を終えたのだった。

ミシェルモアがその後の人生をかけて乗り越えようとしたこの事件は、六〇年を経た現在も、海外援助活動の難しさを示唆するという意味で、記憶しておく価値がある。「アメリカ帝国主義」という名のもとに彼女に向けられた反米感情は、それが正当な評価か否かは別として、アメリカがいかにも独善的で、上から目線で、押しつけがましいという印象を、現地の、少なくとも一部の人には与えていたことを裏づけている。米ソ二極化する世界情勢のなかで、非同盟政策を模索し、脱植民地化と威厳ある国の構築を目ざす国々の気運は、バンドンで開かれたアジア・アフリカ会議(一九五五年)や、それに続くスエズ危機(一九五六―五七年)で盛り上がっていた。独立後、わずか一年のナイジェリアのエリート大学生たちにとって、件のハガキの内容が、神経を逆撫でするものだったことは間違いない。そして、そのような態度やそぶりを見せずとて、アメリカの恵まれた環境で育った苦労知らずの若者たちが、ちょっとした不注意から、前時代の宣教師や植民地主義者と同じレベルで捉えられてしまうリスクは、常に存在していた。

『奥さまは魔女』とMAGA

そもそも当時のアメリカでは、今以上に、「われわれの生きかた」(Our Way of Life)こそが世界一、という無意識の自負が、浸透していたのではないだろうか。自分たちの生きかたを世界へひろめることこそが、平和への近道という考えは、第一次世界大戦、第二次世界大戦と、民主主義を守るために戦争に行き、勝利したという経験によって、より強固なものとなっていたはずだ。そしてそのような自信こそが、ある種のアメリカ優越主義と、それにともなう保守的な価値観を生み出していった。

まさに四人の旅人は、スタンフォード大学を訪問した際、キャンパスの学生たちから「保守的」な印象を受けている。たまたま知り合った学生がそうだったのかもしれないが、一人の女子学生にいたっては、ケネディ大統領の話をすると、半分ふざけて、だがあからさまに、しかめ面をしてみせた。彼女はニクソン支持者だという。ケネディの若さと新鮮さをもってしても、それが必ずしもすべての若者にアピールしたわけではないことがわかる。合衆国初のカトリック系の大統領は、世代に関係なくWASP(White Anglo-Saxon Protestant)出身の保守派には、異端児としてみられていた。また建国以来「大統領はプロテスタント」という伝統は、根強かった(アメリカがケネディの次にカトリック信者を大統領に選んだのは、六〇年後のジョー・バイデンだ)。

この頃のアメリカのエリート保守層の「何も変わる必要がない、我々は十分いけている」といった自己満足に満ちた雰囲気は、肌で理解できる気がする。この日のスタンフォードでの服装を、父のアルバムの写真で確認してみる。非常に暑い日だったのに、訪問する側だけでなく、案内してくれる学生たちもスマートに、コンサバに装っている。私がプリンストン大学に在学した一九九〇年代前半には、すでに生徒の服装はかぎりなくカジュアルで、とくに男子学生は、Tシャツと半ズボンに野球帽という、それ以上カジュアルになりようがないスタイルに行き着いていた。たまに東部のプレップスクール(私立の名門校)から来た学生のなかには、ジャケットとネクタイで講義に行くタイプもいることはいたが、一九六一年のスタンフォードを見るかぎり、そのようなかしこまった服装が、西海岸でさえ普通だったようだ。

大学のキャンパスだけではない。六〇年代前半の、アメリカ社会の保守的嗜好を理解するのに、日本でも人気のあったテレビ番組『奥さまは魔女』を考えてみるといい。これは四人の旅からちょうど三年後の一九六四年の秋、米ＡＢＣが放送を開始したプログラムだった。ニューヨークのマジソン街で活躍するエリート（でも、ちょっとおっちょこちょい）広告マンのダーリンが結婚した相手は、チャーミングなブロンド美人のサマンサ。絵に描いたような新婚生活になるはずが、実はサマンサが魔女だったことを結婚初夜に告白されて、そこから巻き起こるシチュエーション・コメディだ。私はこの番組をリアルタイムで知らないが、一九八〇年代、小学生の頃に再放送で何度も観ていた。よくよく考えると、初めてアメリカの生活に興味をもったのも、この番組を観てからだったと思う。アメリカ人がどのような家に住んで、どのような車に乗って、どのような服を着て、どのような物を食べているのか、まさしく「彼らの生きかた」に関して、子供の興味と好奇心を、楽しく刺激してくれる番組だった（リアリティ番組や、ましてや YouTuber の存在しない時代である）。

この番組の放送第一回のエピソードを、今になって意識的に見直してみると、そこには時代を超越するコメディのなかに、しっかりと時代に根ざした保守的な価値観が確認できる。サマンサは結婚後に仕事を続ける必要も、気持ちもないらしく、家庭に入ることこそが女性の幸せで、その分、料理や掃除に完璧を求めている（ゆえに、時々魔法を使って、ズルをしなければならなくなる）。家にいてリラックスしていても、常にスマートな服を身に纏《まと》い、美しい金髪も完璧にセットしている。もちろんこれはファンタジーの要素を多分に盛り込んだフィクションだから、当時のアメリカの生活を鏡写しにしているとはいえない。だがこの人気番組に、当時の人々が求め、憧れる成功者（そしてほぼ全員が、魔女、魔法使い、人間に関係なく白人）のライフスタイルのいくばくかが反映されていたことも、否定できないだろう。これこそが、「アメリカをもう一度偉大に」(Make America Great Again)というポピュリスト・スローガンを吠え立てて、大統領の座にまで上りつめた、一九四六年生まれのドナルド・トランプとその支持者たちが回顧し、想像し、美化し、取り戻そうとする、アメリカなのだろうか。

ここでスタンフォード大学のキャンパス内の政治に話を戻すと、四人が面会したＩＩＲの学生会長に選ばれることは、当時の野心的なエリート学生の花道だった。会長職を経験した者の多くは卒業後、ローズ奨学金を獲得してイギリスのオックスフォード大学に留学したり、東海岸の名門大学院に進学するコースをたどっている。もちろん世俗的な野心だけが、この学生運営組織を動かしていたわけではないだろう。戦後の理想主義、そして冷戦激化による世界平和への危機感が、学生たちに「自分たちの力でなんとかしたい」という意欲を起こさせ、より密な異文化とのコンタクトを求めさせたことは想像に難くない。

だが四人の旅から数年のうちに、そんな世界的使命を自認するアメリカ国内の社会状況そのものが大きく変わっていく。概してカウンターカルチャー(対抗文化)運動と呼ばれる動きが勢いづき、「保守的」な印象だったアメリカのエリート大学生の政治観も、変貌を遂げるのだった。カウンターカルチャーには、人種差別を糾弾する公民権運動だったり、ベトナム戦争の泥沼化に端を発する反戦運動だったり、女性解放を目ざすウーマンリブだったりと、さまざまな側面があったが、若者たちがよりラディカルで、より根本的な変革を目ざすようになったという点では、共通する精神があった。そのような社会変換の大波のなかで、ＩＩＲのように主流で、大学側の体制に組み込まれた「保守的」と目される組織の立場も、危うくなるのは当然だった。

さらにIIRの将来を絶望的にさせたのは、一九六七年初頭に明るみに出た、CIA（中央情報局）による大規模な学生組織援助の事実だった。学生や労働者の組織が、共産主義の諜報活動の温床となることを恐れたCIAは、多岐にわたる方法で隠密の資金提供を行ない、防諜ネットワークを確実にひろげていたのだった。一九六七年二月、副大統領ヒューバート・ハンフリーは、スタンフォード大学の学生ポリティカル・ユニオンの招きで講演を行なっている。ハンフリーこそは、民主党上院議員時代から、いち早くアメリカの若者による海外ボランティアに興味を持ち議案化した、平和部隊の影の立役者だった。党内のライバルだったケネディ大統領にお株を取られた感はあったが、若者の変革へのエネルギーと力を、誰よりも信じていた政治家だった。

しかしCIAによる学生組織援助がスクープされると、キャンパスには、当時ジョンソン政権のナンバー2であったハンフリーの訪問をよく思わない者も大勢いた。さらにこの時期になると、ベトナム戦争の長期化という大問題が、政権を悩ませていた。暗黙の抗議として、二五〇名ほどの学生や教員が、ハンフリーが話し始める前に、これ見よがしに講演会場を去った。ハンフリーにとって、これは民主主義国家においてあるまじきことで、「耳を傾けないのは、未熟さ、独断、教条主義、知的横暴の最初の兆候だ」と嘆いた。この発言を受けて、聴衆のなかには立ち上がって拍手をするものもいた。だが講演終了後、副大統領が車でキャンパスを立ち去ろうとすると、今度は反戦運動家の学生たちに囲まれ「恥を知れ」と叫ばれるのだった。たった五年ほど前に、日本の若い訪問者が感じた「保守的」な大学の雰囲気は、もうそこにはなかった。

一九七〇年代になると、ＣＩＡによる学生組織や労働組合援助の実情が、ますます公になっていく。はやくからＣＩＡとの関係を指摘されていたスタンフォードのＩＩＲも、学生運動家たちから「アメリカ帝国主義の片棒を担いだ」として、糾弾されることになる。平和部隊員ミシェルモアが、ナイジェリアのイバダン大学で受けたのと同じような批判が、いわば「帝国の内部」から沸き起こってきていた。ＩＩＲの創設理念は、旧世界の帝国主義や拡張主義に勝利したアメリカが、その瓦礫の上に、新しく、希望に溢れる新秩序をもたらすというものだった。そのような仰々しい理想は押しつけがましく、自己満足の帝国主義にすぎないとの自己批判が高まるなか、ＩＩＲは二〇年以上続いた歴史に幕を下ろしたのだった。

「招かれた帝国」とその行方

支配・被支配のアシンメトリカルな関係

カウンターカルチャーの闘士が内部告発した「アメリカ帝国主義」は、本当に「帝国主義」だったのだろうか？　そもそも帝国主義の定義は難しい。宗主国が、拡張主義をもって、自国以外の地域になんらかの支配力を用い、率いる。正式な植民地をもたずしても、他国、他地域を牽引することで、宗主国には経済的、政治的、軍事的な見返りがある。支配される側にも、一部のエリートに限っていえば利益をもたらすし、ローマ帝国が帝国の各地で水道橋をつくったように、インフラが整うこともあるだろう。だが結局のところ、支配する側とされる側の力関係は「アシンメトリカル」(非対称的)という形容に尽き、あくまでも対等の立場ではない。よって相互利益に基づく関係とは言い難いし、それが双方に及ぼす長期的で有害な心理作用には、計り知れないものがある。

だが「アメリカ帝国主義」という現象には、それまでの帝国主義と一線を画すユニークな特徴があるという人もいる。それはアメリカの影響下、世界に民主主義がもたらされるなら、すべての人がその恩恵に与《あずか》れるとする主張だ。アメリカがリードするか、しないかは別として、「民主主義国家同士は戦争をしない」という仮説は、政治科学者マイケル・ドイルなどによって一九八〇年代から研究されてきており、「民主的平和論」(Democratic Peace Theory)として知られている。この理論(より正確には仮説)が、米外交政策の旗印となったのは、二〇〇三年のジョージ・W・ブッシュ政権下でのイラク侵攻だった。侵攻開始前、大統領を取り囲むネオコン(新保守派)のアドバイザーたちは、いかにアメリカが世界の民主的平和を積極的に創造する使命があるか、その実績があるかを力説し、その確たる証拠として、日本の戦後の民主主義を例としてあげた。ネオコンの記憶のなかで、戦後の日本の経験は「アメリカ帝国主義」における輝かしい前例であり、よって「アメリカ帝国主義」は「良い」帝国主義なのだった。

それはかなりのこじつけだった。そもそもポツダム宣言を受け入れて無条件降伏した日本は、連合軍の権限において行なわれたアメリカ支配を拒絶する立場になく、イラクのように内政干渉されたわけではない。またアメリカが日本に、民主主義を一から手解きしたわけでもない。いうまでもなく、日本には自由民権運動に端を発し、不完全ではあるが活気に満ちた民主主義的試みが、戦前にさまざまなされていた。ダグラス・マッカーサーは民主主義において「日本人は一二歳」の段階にあると発言した。日本を子供扱いしたそのような言葉は、アメリカ優越主義の証とされることもあるが、それは裏を返せば「〇歳でも、五歳でも、一〇歳でもなく」思春期間近の、大きな成長と変化を期待できる年頃ともいえる。はっきりしているのは、日本の「民主化」は、一九四五年が零年《ゼロ》ではないことだ。さらにネオコンたちは、戦後の西ドイツをも、アメリカ帝国主義の成功例と引用することがあったが、ドイツにこそ、戦間期のワイマール帝国の民主主義的土台があった。

戦後のアメリカの政策が、一貫して世界の民主化を目ざすプロジェクトだったとも言い難い。モハンマド・モサッデクは、一九五一年、民主主義選挙でイラン国民によって選ばれた首相だった。だが彼は一九五三年、CIAの後ろ盾によって実行されたクーデターで失脚し、イランは民主主義国家からパフラヴィー家による独裁世襲王政に逆戻りした。防共の名のもとに、よりアメリカにとって扱いやすい、非民主主義のリーダーが、力ずくで権力の座についたことになる。これによりモサッデクの目ざしたイランの石油産業国有化は阻まれ、アメリカを筆頭とする国際資本が流入するようになった(一九七〇年代を通して行なわれた三井物産による大石油事業もそのひとつだ)。この従属関係は、ある種の政治的な地域安定とともに、一部の人には莫大な経済的利益をもたらした。だが広がる貧富の差や、イラン社会全体の急速な世俗化は避けられなかった。これらが一九七八年に始まるアーヤトッラー・ホメイニー師率いるイラン革命と、一九七九年のイスラム共和国樹立の火種となった。冷戦激化初期のアメリカによる対イラン政策は、結局は、地域独自の民主主義の芽生えを、サボタージュしたのだった。

没落までの「いましばらく」

それでもとくにこの一〇〇年間、アメリカに憧れ、その影響力を享受する人々や国々は、多くあったはずだ。第一次世界大戦の勝利に始まり、第二次世界大戦を経て西側世界を構築した「かように世界があるべき」という見取り図は、アメリカ自身(そしてある程度、アメリカの一番の同盟国である、滅びゆく大帝国イギリス)をモデルにしてできあがった。民主主義、国民主権、国家自決主義、法の支配、自由市場などを含む、アメリカが掲げる国際社会理念は、新しいタイプの、魅力的な帝国像のようにみえた。だからこそ、当初は左派から「帝国主義的」だと批判されたマーシャル・プランは、結果的には現地で受け入れられ、欧州復興に大きく寄与したし、一九六三年六月、ケネディ大統領が、壁による東西分断の始まったベルリンを訪れれば、多くの人が彼を歓迎した。それればかりかケネディが「私はベルリン市民だ」(“Ich bin ein Berliner”)と、間違った文法とひどい訛りで演説を結ぶと、西ベルリンの群衆は感動し、歓喜した。望まれて、他の国々を牽引する帝国主義を行なう国こそが、ノルウェーの歴史家ゲイル・ルンデスタッドの定義する「招かれた帝国」(Empire by Invitation)だ。そしてアメリカには確かに、招かれ、歓迎されていた一瞬があったのだ。

だが他人の土地で招かれ続けるには、それだけの魅力がなければならない。俗にいう「自分磨き」をして、反省、内省を繰り返さなければ、招待され、歓迎され、模倣される帝国であり続けることは不可能であろう。その斜陽が指摘されて久しい帝国が、アメリカなのではないか。考えようによっては、ニューヨークに暮らす私は、国籍的にはアウトサイダーでありながらも、その滅びゆく帝国の中心に暮らす一員でもある。私の知るニューヨークは、子供のころにブラウン管を通して出会った、『奥さまは魔女』の、煌《きら》びやかで自信満々のニューヨークとは、すべての面で様相を異にしている。それでも周りを見回すと、自分も含めて、少なくともこの街には「仕方なくここにいる」というよりは、「いたいからいる」という人のほうが、多いように感じる。個人的には、帝国のメトロポリスに住むのは、隆盛期よりも、その黄昏のなかで色々と思索するほうが、面白いのではないかと思う。

そんな思索のなかで、「招かれた帝国」という概念とともに思い返すのが、大統領ではないもうひとりのケネディ、英国出身の歴史家ポール・ケネディの著書『大国の興亡――一五〇〇年から二〇〇〇年までの経済の変遷と軍事闘争』(*The Rise and Fall of The Great Powers*)だ。一九八七年に原著が出版されたこのベストセラーは、次のように述べている。アメリカの衰退は既成事実となりつつあるものの、そのペースは遅々としており、完全にアメリカが没落するのには「いましばらく時間がかかるだろう」、と。

出版から三〇年以上経った現在でも、その「いましばらく」が続いている。その間、アメリカの国力や信用度が、着実に低下してきたことは否めない。『大国の興亡』の出版当時、経済的に世界を凌駕《りょうが》し、大いなる脅威だと考えられていた日本の失墜はさらに激しく、それに取って代わるアジアの大国は、ケネディが予想したとおり中国となった。それでも合衆国建国時から、アメリカ社会そのものに深く根ざしてきたアメリカ例外主義は、生き続けている。なにも「アメリカ・ファースト」の信奉者や排外主義者だけではない。困難があれど、結局は正義が勝ち、さらにはアメリカこそがその正義を代弁する立場にあるという考えは、大半のアメリカ人に、人生のほとんどを通して植えつけられてきた教義であり、信条だと思う。

一八三〇年代初頭のアメリカを旅して『アメリカの民主政治』を著したフランス人アレクシ・ド・トクヴィルは、若い国アメリカが立憲共和制として成功している理由を、その徹底した自由と個人主義にみた。一人ひとりが確固とした意見をもつことは、民主主義社会において、望ましいことだ。少なくとも理論上は。だが他人の言葉を検証なしに繰り返し、声高に主張することが、自分の意見をもつことだと勘違いし、さらには聞き慣れない、気に食わないことをいう人には耳を傾けないとなると、それは民主主義の地獄絵となり得る。

自分の主張をがなり立て、押しつけようとする場所に、議論は成立しない。そこに対話(ダイアローグ)はない。異なる意見をもつ人々、またはグループが、平行線上で自分の耳に都合のよい独白(モノローグ)を続けるだけだ。最悪の場合、憎悪や怒り、焦りといった強い感情を刺激することによって、多数の支持者を引きつけることのできる人間が、権力の座につくことをも可能にしてしまう。民主主義的価値がないがしろになり、多数派による政治支配が行なわれる、そんなシナリオを、トクヴィルは「ソフト専制主義」(le despotisme doux)と名づけている。だからこそ、民主主義社会に生きる人間には、自分自身の頭で考え、理解し、他人の意見も聞き、また考えなおしてみるという、少し面倒くさい作業を続ける責務がある。グローバル・テロリズムや熾烈《しれつ》な国際経済競争、環境問題、情報過多、フェイクニュース、さらにはパンデミックといった、国境を超える、判別しにくい敵たちとの長期戦を戦わなければならない今日、それは、ますます必要とされている。

「耳を傾けないのは、未熟さ、独断、教条主義、知的横暴の最初の兆候だ」。一九六七年のハンフリー副大統領の言葉が、二〇二一年、アメリカ帝国の残影のなかに生きる私の耳に、響きわたる。

第Ⅱ章　トルーマンの原爆

荒野を駆る

全土を網羅する長距離バスネットワーク

一〇月一七日早朝、四泊したサンフランシスコのＹＭＣＡに別れを告げ、四人の一行はグレイハウンドの長距離バスターミナルへ向かった。バックパッカーの身軽さとは無縁で、スーツの替えや、行く先々でお世話になる人々へのお土産など、重い荷物を抱えながらの一マイル（約一・六キロ）ほどの道のりは、長く感じられた。だが予定どおり七時出発のバスに乗り込むと、とりあえずの達成感から安堵する。落ち着いてみると、四三人乗りのバス「シーニック・クルーザー」はなかなか乗り心地が良い。父は現代の大型バスと比べても、リクライニングシートの快適さなど、さほど違わなかったと記憶している。他の乗客はといえば、車を持たない若者や海外からの訪問者が主なのかと思っていたが、それだけではなく、高齢の、それも女性が多い。なるほど、運転をしない、できない年齢になっても、この広い国を網羅する長距離バスがあれば、飛行機とは比べ物にならない安い手段で、気軽に友人や家族に会いにいくこともできるのだ。

それからの二日間は、このバスの中が四人にとっての主な生活の場であり、宿泊施設でもあった。ルートは、サンフランシスコから緩やかにネヴァダ州中部まで北上し、その後、アメリカ大陸中心へと、ひたすら東へ進むことになっていた。ネヴァダ州、ユタ州、ワイオミング州、コロラド州を通過する。中心地帯に到達するまでは、一九五六年に開通し、一九八六年に全区間完成するI－80(Interstate 80 州間高速道路八〇号線)を、ほぼたどるような形だ。最後は微妙に南下しながら、二日後の一〇月一九日の午前中、中西部ミズーリ州カンザスシティに到着するスケジュールだった。

一七日の九時半を過ぎて、最初の休憩が入った。サクラメントだ。アップルパイと紅茶が朝食だった(アップルパイは、どこの食堂やカフェにでもあり、かつ比較的安い値段で空腹を満たせる一品だったようで、道中、よく登場する)。その後も数時間おきに短い休憩を挟みながら、午後一時四五分にはカリフォルニア州を出て、ネヴァダ州入りした。ということは、ギャンブルの合法地帯に入ったのだった。ネヴァダでの最初のストップとなったリノのバスターミナルには、スロットマシーンが設置されており、冷やかし半分、楽しんだ。休憩時に利用する公衆トイレは、たいてい一〇セント硬貨を投入して扉を開ける仕組みになっていたが、それを我慢してでも賭け事には小銭を使ったようだ。長い旅の初日が終わろうとする午後一一時三〇分、ネヴァダ最後の休憩地ウェルズに到着し、そこでも「お別れの」ギャンブルに挑戦した。この際、めでたく増尾が儲けたということで、全員が無駄遣いに終わったわけではなかった。

西を目ざしたモルモン教徒

次の州境を越えると、そこはユタ州だった。まだ夜の明けないうちの早い朝食のために停まったのは、州都ソルトレークシティ。二〇〇二年の冬季オリンピックが開催されたことからもわかるが、標高一二八八メートルの高地に位置し、突然襲ってきた寒さに四人は驚いた。案の定、山肌にうっすらと雪が確認できた。ほんの少し前までネヴァダの荒野を走っていたのにである。急激に変わったのは、天候や景色だけではなかった。主要産業だった鉱業が衰退すると、ネヴァダ州は一九三一年に賭博を合法化し、ラスベガスを筆頭に、現在に通ずる州をあげてのカジノがらみの観光産業発展の布石を打った。一方ユタ州は、独特の戒律で知られる末日聖徒《まつじつせいと》イエス・キリスト教会、通称モルモン教の本拠地で、賭け事に関しては、宝くじにも反対の立場をとっている。創始者ジョセフ・スミス・ジュニアは、神の啓示を受けて、聖書の「もうひとつの書」である「モルモンの書」を発見したとし、一八三〇年にニューヨーク州北部でこの教会を設立した。そして安住の地を求め、信者をともなって西へ進み、オハイオ州カートランドに一旦は落ち着いたものの、八年後にはさらに九〇〇キロ西の、イリノイ州ノーヴーに移動した。つまり四人のバス旅行の行程とは真逆に、西へ、西へ、西へと動いたことになる。

　しかし結局は、ノーヴーも、ほとんどのモルモン教徒たちの終着点にはならなかった。スミスの多重婚に原因の一端のある教会指導者間の亀裂や、先住の非信者コミュニティとの摩擦が生じたからだ。スミスは反対勢力の武力制圧を試みるが、それが自らに跳ね返り、一八四四年、顔を黒塗りにした暴徒たちに銃撃され、死亡した。後継者選びで頭角を現したのがブリガム・ヤングで、彼に従った信者たちが、さらに西へと進み、最終的にまだ合衆国の州ではなかったユタに定住することになったのである。アメリカ社会の異端者集団としての運命を余儀なくされたわけだが、それがさらに教会内の結束を強めた形となった。

　そして二〇世紀に入ると、全国区のラジオで礼拝を放送したり、福祉活動に積極的に参加することで、教会外での知名度向上と理解促進に力を入れるようになる。その際に強調されたのは、モルモン教徒の勤勉さや愛国心であり、また、「迫害されたキリスト教の一派から中産階級へのしあがった」という、わかりやすいサクセスストーリーだった。それはヨーロッパを追われた清教徒(ピューリタン)の一派がアメリカに安住の地を求め、「輝ける丘の上の町」(shining city upon a hill)を創造したという合衆国建国のナラティブと重ならなくもない。集団の歴史と記憶をフル活用することによって、モルモン教徒も次第にアメリカ社会の主流に交わるようになっていった。そして二〇一二年には、モルモン教徒のミット・ロムニーが、大統領選挙で共和党の候補に指名されるまでになったのだった。

あまりにも違う、独自のアイデンティティをもつネヴァダとユタというふたつの州が隣り合わせであること、そしてそれぞれが、アメリカ合衆国の連邦制の欠かせない建築ブロックになっていることは、興味深い。四年ごとの大統領選挙で注目されながらも、アメリカ人にとっても理解に苦しむ選挙人団(electoral college)や、ゲリマンダー(gerrymandering)と呼ばれる党利党略のための選挙区改定などは、中央の連邦政府や、ある特定の州に過剰な影響力をもたせないための合法的な制度ではある。

ソルトレークシティで降車した堀田

だがそれゆえに、大統領選で投じる一票の重みが投票者の住む場所によって非常に大きく変わるという、「非民主主義」的な皮肉がつきまとう。現に合衆国の歴史のなかでは、これまでに五回、一般投票で勝利した候補が選挙人投票で敗れ、大統領になりそびれている。一九世紀には一八二四年のアンドリュー・ジャクソン、一八七六年のサミュエル・ティルデン、一八八八年のグローヴァー・クリーブランドが、そして大きく飛んで二〇〇〇年にアル・ゴアが、二〇一六年にヒラリー・クリントンが、全体の投票数ではリードしながらも、選挙人投票のために敗北を喫している。

二〇二〇年の大統領選挙の前後、私の一三歳の娘が通う公立中学校の社会科のクラスでも「選挙システムを、どのように現実や民意をより反映したものに変えられるのか」といった議論が盛んに行なわれていた。コロナ禍のためにオンラインで行なわれる授業を、冷やかし半分、隣室で耳をそばだてて聞いていると、「古代ギリシャのアテネで行なわれていたような直接民主主義になれば良い」といった意見があれば、「そもそもアテネでさえ女性や奴隷に選挙権はなかった」という反論があがるといった具合で、なかなか意見の一致をみない。

それでも現実の大問題として、アメリカの大統領制が、いびつな選挙システムの上に成り立っているという前提には、どの生徒も異論がないようだ。最終的にクラスの話し合いは、一七八七年に設立された選挙人団システムならびに州選出の議員数の再調整が必要なのだろうというあたりで落ち着いた。だがそのような改革こそ、五〇ある州の間の力関係を大きく変えることになる。そして連邦制のバランスが崩れると、「合衆国」の存在意義や本質そのものを揺るがす問題に発展し、ますます解決策がみえなくなっていくのではないか。二〇二〇年の選挙は、一般投票も、選挙人投票もジョー・バイデンが制した。よって、ひとまずこの厄介な問題がメディアや教室で議論されるのは、次回の大統領選挙まで先延ばしになったきらいがある。

カウボーイ伝説

ララミーの丘を越えて

州の違いがあまりにも極端なコントラストを成すネヴァダとユタだったが、四人の乗ったバスは、午前八時半には、すでにまた新しい州に入っていた。雄大な自然と保守的な政治傾向で知られるワイオミング州だ。窓外の景色に樹木の緑が目立ち始めた。それはまさに日本でも放送され、一九六一年の二月には四四％近くの高視聴率を記録したテレビドラマ『ララミー牧場』の世界だった。主演のロバート・フラーはその年の四月に来日し、熱狂的な歓迎を受けている。

ララミーの丘に近づくと、運転手の解説が入った。左側の窓から眺めると、台座を含めて一三メートル近くある第一六代アメリカ合衆国大統領エイブラハム・リンカーンのブロンズの胸像が見下ろしている。これは一九五九年に、リンカーンの生誕一五〇周年を記念してつくられた作品で、ニューヨーク市出身の彫刻家、ロバート・ラッシンの手によるものだった。ワイオミングの昼夜の大きな温度差が制作に不向きだと判断したラッシンは、わざわざメキシコシティで完成させた彫像を、コロラド州デンバー経由でワイオミングに送り込んだ。ララミーの手前までは極めて順調な輸送だったが、この町の電線が、通常よりも低い位置にあったために、最大のピンチが訪れる。早朝、まだ家庭で電気を必要としない暗いうちに、一ブロックごとに電線を切断してトラックが前進した。そんな予期せぬ苦労を強いられたすえ、やっとそのリンカーン像が設置されたのだった。一九三センチと歴代大統領のなかでもっとも長身で、奴隷解放宣言をしたことで歴史にその名を深く刻んだリンカーンは、体軀、実績の双方で圧倒的な巨人だ。その胸像と、ワイオミングの広々とした土地は、なんとも絶妙なマッチである。

ワイオミングと聞いて、リンカーンを想像する人は少ないかもしれない。一九六〇年代の日本やアメリカのテレビ視聴者にとってのワイオミングが、広大な牧場や山脈、カウボーイのイメージを想起させたとすれば、現代はどうなのか。たいして変わらないような気がする。私のなかでも「ワイオミング＝カウボーイ」的な固定観念が、いつの間にか、この足を踏み入れたことのない州に対してできあがっている。「大自然のなかで、その美しさと厳しさを享受しながら、ストイックに仕事に励む労働者」、またはそれ以前の、開拓時代を舞台にした西部劇で描かれがちな、「身元のわからない漂泊者だが、実は腐敗した保安官やならず者をやっつける正義の味方」——彼らは皆一様にテンガロンハットを目深に被り、腰のベルトにつけた回転式拳銃入りのホルスターや、尖ったつま先のブーツなど、いわゆるウェスタンの制服を纏っている。そしてワイオミングこそが、「カウボーイの郷」だ。現にワイオミング発行の車のナンバープレートには、山脈を背景にした平原に馬を駆る、カウボーイのシルエットが描かれている。

ふたつの映画

ステレオタイプ化、かつ戯画化された、私の頭のなかのカウボーイ像に、幾分かのニュアンスが加わったとすれば、それは二〇〇五年公開の映画『ブロークバック・マウンテン』のお陰だろうか。学生時代から好きだった台湾出身の映画監督アン・リーの作品だから、とりあえず劇場で観ておこうと、まったく内容を知らずに映画館に足を運んだ。撮影はカナダのアルバータ州で行なわれたそうだが、ストーリーの舞台は一九六〇年代のワイオミング北部だ。移動放牧の見張り番を通して出会う二人の主人公イニスとジャックが、抗《あらが》いながらも惹かれあい、大自然のなかに、二〇年越しで禁断の愛を育む。だが結局は、私的、社会的束縛から逃れられない。このカウボーイ間の同性愛の悲劇は、アニー・プルー原作の短編小説をベースにしており、その意外性からも大きな話題となった。

もっとも「カウボーイと同性愛」を扱った映画といえば、ジョン・ヴォイトとダスティン・ホフマン主演の一九六九年の作品『真夜中のカーボーイ』が広く知られている。だがそこでは同性愛的な関係以上に、友情や、都会と田舎のギャップを描いた自己形成物語の要素が強調されている。そもそもヴォイト扮するテキサスの青年ジョー・バックは、出立《いでた》ちこそそれらしいが、本物のカウボーイではない。また同性愛者に批判的な描写も含むため、今日のLGBTの世界では、『真夜中のカーボーイ』を、必ずしもコミュニティの利益を促進する「ゲイ映画」とは認めていないようだ。この作品を監督したのは、私の夫の伯父、イギリス人のジョン・シュレシンジャーで、はっきりしているのは、彼自身がオープンな同性愛者であったこと。また、同性愛を含む、際どい、社会の底辺を扱ったこの映画が、一九七〇年のアカデミー監督賞、作品賞、脚本賞を総なめにしたという事実だ。それは映画界、それも興行成績や娯楽性が評価基準になりがちなハリウッド映画界における、カウンターカルチャーの勝利を象徴する出来事だった。

同性愛を扱った物語を、ともに外国人の映画監督が、「カウボーイ」という、アメリカのワイルドさ、タフさ、マッチョさを普遍的に代弁するキャラクターを通して描き、それがハリウ

『真夜中のカーボーイ』と『ブロークバック・マウンテン』

ッドにおいて認められたという点に、偶然とは思えない関連性を感じる(アン・リーも『ブロークバック・マウンテン』でアカデミー監督賞を受賞した)。どちらの映画も、タフなイメージからは程遠い、カウボーイの繊細な内面をちらつかせる。彼らは自分らしく生きることを求め、それが難しいとわかると、自分のなかの欲望と静かに葛藤するのだ。

それはある程度、社会全体が平和な時代にだけ許される、「贅沢な問題」ではある。現実的に考えて、実際の西部開拓時代のカウボーイに、内面の省察《せいさつ》に割く時間や精神的余裕があったのか考えると、そうとは思えない。西へ、西へと進むのには、前言したような「腐敗した保安官やならず者」との戦いだけではなく、さらに手強い「インディアン」との戦いがあったのだから――ここで「インディアン」を括弧に入れる理由は、正式には彼らはエスキモー系イヌイットも含めた「アメリカ大陸先住民」であり、当然ながら南アジアの「インド人」ではないからだ。その点を考慮した「ネイティブ・アメリカン」(Native American)や「アメリディアン」(Amerindian)の呼称もあるが、アメリカ建国史の文脈において、たしかにそのように呼ばれた人々が存在したという意味で、

「インディアン」とする――そしてワイオミングこそが、そんな開拓者とインディアンの最後の主戦場であり、いくら西部劇で美化されようが、前者は後者の土地を奪う、侵略者であることに変わりなかった。

デフォルメされた西部開拓史

一八四八年にカリフォルニア州で金が発見されたことによって始まったゴールドラッシュ以降、土中に埋もれる金塊の輝きに引き寄せられるようにして、開拓者たちが西部へ大挙するようになった。一九世紀後半、ワイオミングがそのアクセス道を提供した。そして幌馬車の交通量の増加にともない、シャイアン、アラパホ、スーといった平原インディアン部族との衝突も急増する。オレゴン州に続く行路には、幌馬車を守るための武装要員が置かれ、砦も築かれた。リンカーン像のあったララミーは、もともと要塞のまわりに発生した「道の駅」であり、インディアンとの戦いにおける、西部開拓者の主要基地でもあったのだ。さらに北に建てられたフィル・カーニー砦は、一八六〇年代後半、ゲリラ戦術を用いるインディアンとのもっとも血《ち》腥《なまぐさ》い戦いがあったことで知られる。自らの英雄談を脚色し、「バッファロー・ビル」の芸名でそれを再演した世界一有名なカウボーイ、ウィリアム・フレデリック・コーディが活躍し始めたのも、その時代だった。

コーディの名をこの世に最初に知らしめたのは、ミズーリ州セントジョセフからカリフォルニア州サクラメントまでを、乗馬リレー方式で繋いだ郵便速達サービス「ポニー・エクスプレス」の乗り手としてだった。この速達ネットワークが運行されたのは、一八六〇年四月からわずか二〇カ月足らずの期間で、経済的には大失敗の試みだった。にもかかわらず、南北戦争(一八六一―六五年)直前の、緊張が増す合衆国において、カリフォルニア州と東部を結ぶ迅速で効率的、かつ冒険に満ちた伝達手段として、アメリカ史のなかでも特別に記憶されている。

ポニー・エクスプレスは、それまで通常二四日間はかかった約二〇〇〇マイル(三二〇〇キロ)のルートを、一〇日間でこなした。それには一〇マイルから一五マイルほど毎に馬を交換し、七五マイルから一〇〇マイル毎に乗り手が替わる必要があった。馬にとっても、乗り手にとっても、この道のりは平原、荒野、山岳地帯と地形が大きく変わるなか、予期不能な敵と対峙する、厳しいものであったことに間違いない。

コーディはワイオミングで、いくつかの伝説を残している。自分の担当区間だけでなく、行方不明になってしまった乗り手の分まで続けてこなしたり、インディアンの追っ手を逃れたり、盗賊に襲われると、反対に彼らを騙したり、などだ。のちにコーディは、「バッファロー・ビル」として、アメリカ西部開拓を再演する屋外エンターテインメント『ワイルド・ウェスト・ショー』をつくりあげ、俳優兼興行主として名を馳せる。本物のカウボーイ、本物のインディアン、本物の家畜が登場する、かぎりなく本物に近い西部開拓物語を見せる、というのがショーの売りだった。そして一八八三年から、一九一七年に亡くなる直前まで出演を続けた。イギリスでの海外巡業まで果たした興行の大成功はまた、西部開拓の歴史を出だしから多分にメロドラマ化し、娯楽化することにもなった。侵略者側の記憶のなかで、真実とフィクションが無造作に織り交ぜられ、平原インディアンが壮大な土地からよりかぎられた居住地へと追いやられていくプロセスまでも、文明の勝利として美化されていったのだ。

そもそも真実と虚構の区別は、コーディ自身のなかで曖昧だった。再演用の派手な衣装をつけたまま、兼務していた陸軍偵察兵としての仕事に携わることもあったという。今日でもパリのディズニーランドでは、まさに「バッファロー・ビルのワイルド・ウェスト・ショー」と銘打ったディナーショーが、アトラクションとして提供されている。ウェスタン衣装に身をまとったミッキー・マウスとミニー・マウスが活躍し、本家のショーさながらに、実物の馬や牛も登場するという。

デフォルメされた西部開拓史がつくりあげられるなか、一八九〇年ごろまでには、西海岸への人口大移動の動きも一段落した。各要所に設営された砦は閉鎖され、定住者も増え、大量の水牛放牧が始まり、町の建設が加速した。コーディが興したイエローストーン国立公園にほど近い町「コーディ」もそのひとつで、ワイオミングは、自他ともに認める「カウボーイの郷」となっていく。

アメリカ西部開拓伝説の要ともいえるワイオミングはまた、その後アメリカが自ら好んで発信していく対外イメージをつくりあげることにも大きな役割を担った。マッチョで、ストレートにものを言い、正義と信ずることのためならば危険を冒してでも行動するアメリカ人、というのは『ワイルド・ウェスト・ショー』のなかの、理想化されたカウボーイ像であるとともに、アメリカを旧世界から大きく区別する特徴だった。実際、探検家としても知られるセオドア・

ルーズベルトを皮切りに、リンドン・ジョンソン、ロナルド・レーガン、ブッシュ父子と、ウエスタンファッションを好んだ歴代大統領は多い。

　それは悪くいえば粗野で、がさつで、ひとりよがりということだが、カウボーイ文化の浸透に潜む、それ以上の問題を、フランス・キューバ系の小説家アナイス・ニンは、察知していた。ほとんど全生涯にわたって日記をつけたことで知られるニンは、一九四〇年四月、ニューヨークでこう記している。「アメリカは、その強靭信仰(cult of toughness)と繊細憎悪(hatred of sensitivity)のせいで、さらに大きな危険にさらされている。いつかひどい代償を払わなければならないかもしれない。感情の萎縮は、犯罪者を生み出すから」。ニンは「マルクス主義が世界の悲惨な状況の解決策であるとはもはや信じられず」、だからといって、アメリカの自由主義に基づく実利主義が、その代わりになるとは思わなかった。

　たしかに第一次世界大戦以降、ソビエトとアメリカは旧世界の帝国を凌駕する新二大帝国として台頭してきた。だが双方の政治教義は、物質的な要求に対する解決策を示すに過ぎない。とくにアメリカでは、精神的なニーズがないがしろにされ、バランスの取れた価値観が破壊されるのではないかと、ニンは危惧したのだ。常にタフでいることを求められ、多感さを許されないカウボーイの悲劇を予期したかのような言葉だった。だがさすがのニンも、日記を書いた八〇年後、パンデミック危機の真っただ中、感染予防のためのマスク着用を弱々しさの象徴と毛嫌いし、民主主義の鉄則である選挙での敗北をも認めることのできないアメリカ大統領が現れたとは、まったくもって想像できなかっただろう。

アメリカのハート

「カンザスの家」のドロシー

バスの旅の二日目、午後三時半には、ワイオミング州最後の停留所シャイアンに到着した。四人は車内でフィリピン人男性と知り合っていたが、彼はここで下車したという。アジア系マイノリティー同士、気負いなく話ができたようだが、残念ながらこの男性と道中どのような会話をしたのかは、記録も記憶も残っていない(このほかにも、日本に五年住み、日本語も話すもうひとりのフィリピン人にも出会っている。名前は確認しなかったものの、見覚えのある容姿から細野は「日本でも活躍していた歌手のマノロ・バルデスに間違いない」と記している)。

今となってはシャイアンで下車したフィリピン人の素性を知る由もない。だが軍、または政府関係の人物だったのではないかと想像する。というのも、シャイアンのF・E・ウォーレン空軍基地には、フィリピンの独立運動弾圧の象徴である「バレンジーガの鐘」が、常設展示されていたからだ。アメリカがスペイン植民地のプエルトリコ、フィリピン、グアムを併合することになった米西戦争はまた、フィリピンがアメリカから速やかな独立を求める米比戦争を生んだ。その最中、一九〇一年、教会の鐘の音を合図に、地域住民が米軍に攻撃を仕掛けた。数カ月続いた戦闘は、結局はアメリカの圧勝に終わり、その際の戦利品として、鐘が接収されたのだった。かくしてバレンジーガの鐘は、英国の詩人ラドヤード・キップリングが「白人の責務」(White Men's Burden)と形容したアメリカ帝国によるフィリピン統治のシンボルとして、はるばるワイオミングまで運ばれたのである。

一九五〇年代以降、この鐘のフィリピンへの返還を、あらゆる人々が根気強く要求した。ポピュリスト大統領ロドリゴ・ドゥテルテのような右派の政治家だけでなく、代々のフィリピン政府、駐米フィリピン大使、カトリック教会の指導者、ビル・クリントン第四二代大統領など、その顔ぶれはさまざまだった。だが半世紀以上にわたって、保守派のワイオミング州議会が、返還に応じる様子はなかった。鐘をフィリピンに返すことは「退役軍人のための記念碑の扱い方として、危険な前例になる」とか、「米軍戦没者の名誉を汚すことになる」というのが拒否理由だった。米国防総省の意向によって、とうとう鐘が里帰りしたのは、押収から一一七年後の二〇一八年一二月だった。四人がバスで出会ったフィリピン人は、もしかすると、この長く続いた、困難な鐘の返還交渉に関わっていたのではないか。思いを馳せるが、真相を知る術はない。

四人を乗せたバスは、コロラド州北部、ネブラスカ州南部を通過しながら、二度目の夜に突入した。朝方にはいよいよアメリカの中心部へと入っていた。目ざす降車地は、カンザスシティ。グーグルによると「ハート・オブ・アメリカ」はカンザス州インディペンデンスという町で、グーグル・マップで地図検索をする時も、この町がアメリカの地続き部分の地理的中心とみなされていることがわかる。たとえば「東京都千代田区永田町一丁目七―一国会議事堂からアメリカへの道順」を検索すると、アメリカ内の到着点として、この町が自動的にあてがわれるという具合だ。

カンザスシティは、インディペンデンスから、ほぼ一六〇マイル北に位置している。つまりアメリカの中心に近い都市だ。そしてカンザスシティはふたつに分かれている。カンザス州とミズーリ州の二州をまたぎ、行政的に個別の市として機能しているのだ。その一方で、市部だけでなく、郊外部も隣接しているために、すべてをまとめて「カンザスシティ都市圏」として捉えられる傾向がある。四人の旅人が一〇月一九日午前一〇時半に到着したバスターミナルは、ミズーリ州のカンザスシティだった。

このあたり一帯が「ハート・オブ・アメリカ」といわれるのは、地理的なことだけでなく、地域の農業や工業が、南北戦争前後からの合衆国の生活水準向上や、それに続く世界規模の経済発展の原動力となってきたことにも起因している。また「カンザス」という名前には、多くのアメリカ人が郷愁を感じる特別な響きがある。一九〇〇年に出版されたL・フランク・ボームの児童文学『オズの素晴らしい魔法使い』(*The Wonderful Wizard of Oz*)と、それをもとにした一九三九年のハリウッド映画『オズの魔法使』(*The Wizard of Oz*)のためだ。

場所は特定されていないが、主人公の少女ドロシーは、叔父、叔母とともにカンザス州で暮らしている。平凡で平穏な生活を送っていたが、ある日ドロシーと飼い犬トトが、家ごと竜巻に巻き込まれ、摩訶不思議な世界に運ばれてしまう。カンザスの家に戻るには、エメラルドの都で、オズの魔法使いを見つけなければならない。道中、脳のないカカシ、心臓のないブリキの木こり、そして臆病なライオンという、それぞれ葛藤を抱える面々が仲間に加わる。紆余曲折の大冒険のすえ、皆が悩みを克服し、ドロシーとトトは「カンザスの家」に無事戻ってくる。ドロシーは「家が一番！」(“There is no place like home!”)と繰り返す。映画を観る子供たちも感情移入し、心底ほっとする。そしてドロシーの「カンザスの家」が、安定や家族の愛情を暗示する、アメリカ人の心の拠り所となり続けるのだ。

奇しくもドロシーを演じたジュディー・ガーランドが作品中で歌う「虹の彼方に」(Over the Rainbow)は、ケネディ大統領の大のお気に入りだった。そして大統領は落ち込んだり、疲れたりすると、親しかったガーランドに電話をして、まるで幼い子供が母親に子守唄をせがむように、この歌を歌ってくれと頼んだという。そんなエピソードを、ガーランドの当時の夫や娘のライザ・ミネリが回顧している。

カンザスシティでの一夜

四人が降り立った「ハート・オブ・アメリカ」の首都ともいえるカンザスシティは、緑が豊かで想像以上に美しい街だった。当時としては高い三〇階建てのビルもあった。一九世紀半ば、ミズーリ川とカンザス川、そして周りに派生する運河が、水路貿易に格好のロケーションを提供していたことが、街の発展の始まりだった。当初はインディアンとの毛皮取引きで成り立っていた地域経済も、やがて精肉業と鉄鋼業で栄えるようになった。混沌とした大都会とは違う、いわゆる整備された中堅都市がそこに生まれた。一九六一年当時、ふたつのカンザスシティを合わせて一〇〇万人弱の人口は、まだ圧倒的に白人で構成されており、黒人は一〇%ほどだった。そしてこの頃より徐々に街の貧困化、空洞化が始まり、より豊かな郊外に行くほど、黒人人口の割合は減るのだった。

一九六八年四月、マーティン・ルーサー・キング・ジュニア牧師暗殺の直後、全米各地で沸き起こった人権侵害への抗議デモは、この街をも巻き込み、六人の死者と三〇〇人の逮捕者を出す惨事を生んだ。これは「カンザスシティ暴動」(Kansas City Riot)として、公民権運動の歴史に刻まれている。時は移って二〇二〇年夏。五月二五日にミネソタ州ミネアポリスで、非武装の黒人男性ジョージ・フロイドが警官の暴行によって亡くなったことを受けて、各地で抗議運動が巻き起こっていた。トランプ大統領は「暴力犯罪対策」と銘打ち、FBI(連邦捜査局)や連邦保安官局などの職員二〇〇人ほどをカンザスシティに送りこんだ。他の都市と比較しても別格の警戒の仕方で、明らかに「カンザスシティ暴動」を意識したと思われる、演出されたジェスチャーだった。

「人権」という、国家が守るべき最低限の権利が踏み躙《にじ》られることから起こる抗議運動、現場で勃発する暴力、そしてそれに過剰反応する権力の構図は、一九六一年の通りすがりの旅人には、見えない未来だった。最初から街の印象は良く、宿泊予定のYMCAが、バスターミナルのすぐそばにあることも大変助かった。ただほっとしたのも束の間、ホステルのデスクで予約が入っていないと伝えられる。広大なカンザスシティにふさわしく、YMCAもふたつ存在するようで、違う宿を予約していたのだった。予約で埋まっていて個室は無理だが、六人部屋のドミトリーならば泊まれるということで、そこに押し込んでもらう。快適とはいえないが、とにかくベッドで寝るのは二日ぶりだったし、カンザスシティには、たった一泊の予定だったからだ。

到着日の午後から夜にかけて、そして翌日、午後にバスが出発するまでの短い滞在を充実したものにしてくれたのは、フィッシャー婦人と、リケットという四〇代の夫妻の三人だった。フィッシャー婦人は、細野の姉・治子の友人で、当時東京で記者活動をしていたロバート・フィッシャーという人物の母親、そしてミセス・リケットは、フィッシャー婦人の姉だった。皆、当時のカンザスシティの圧倒的多数派である白人だった。

四人は到着した日の午後、まずはリケット氏と一緒に、市内見物に出た。そして遅めのランチに、ハンバーガーを食べている。さすが精肉業を誇る街だけあって、記憶に残る美味しさだったようだが、さらにそれを口にしたのが中央駅のユニオン・ステーション内のレストランだったことは興味深い。一九九六年に公開されたロバート・アルトマン監督の『カンザス・シティ』には、そこで撮影されたシーンが何度も登場する。ワシントンDCにある同名の駅によく似たボザール様式の美しい駅舎は、映画の撮影時、すでに一〇年以上閉鎖されていた。だがこの映画の公開によって、地元民の間で保存・修復運動が盛り上がり、一九九九年には、博物館を含む複合エンターテインメント施設として再生した。そして二〇〇二年にはアムトラック(全米鉄道旅客公社)が、再びユニオン・ステーションに列車を乗り入れるようになり、当初の鉄道駅としての役割も取り戻したのだった。

『カンザス・シティ』は、アルトマン監督が自らのホームタウンに捧げたオマージュで、多感な少年時代を送った一九三〇年代の街を舞台に繰り広げられるサスペンスドラマだ。ある誘拐事件がプロットの軸を成すが、なによりもこの作品が優れている点は、映画全体に漂う、その怪しくも魅惑的な「雰囲気」に尽きると思う。ハリー・ベラフォンテ扮する黒人ギャングの親分が経営するジャズ・クラブには、伝説的ジャズマンが集う。画面に映し出されるカンザスシティの裏社会と、随所に流れる、退廃と艶やかさの共存する音楽は、少女ドロシーのそれとはまた別の、ある種の「ハート・オブ・アメリカ」を記念しているといえるのではないか。

一九二〇年代から三〇年代にかけて、カンザスシティのジャズ音楽シーンは、カウント・ベイシー、コールマン・ホーキンス、ジェイ・マクシャン、レスター・ヤングなど歴史に名を残すミュージシャンによって牽引されていた。エラ・フィッツジェラルドやルイ・アームストロングもこの街で活躍した。そして彼らの音楽が、アメリカのジャズそのものを、大きく変えた。ジャズ音楽は、もはやベニー・グッドマンやグレン・ミラー、デューク・エリントンのようなバンドリーダーの下で演奏されるビッグバンドスタイルではなく、よりダイナミックな即興性と即時性を追求する芸術に変わっていた。黄金期ほどでないにせよ、一九六一年のカンザスシティでも、モダン・ジャズ発祥の地のプライドと伝統が、生き続けていたにちがいない。

父もジャズピアノに傾倒していた友人の影響で、学生時代、渋谷の道玄坂にあったジャズ喫茶によく通っていた。そこで出会ったジャズはモダン・ジャズ・カルテットのジョン・ルイス、ヴィブラフォン奏者のミルト・ジャクソンなどで、そこにバロック音楽に近いものを強く感じた記憶があるという。少しでもジャズをかじったものとしては、おそらく本場の音楽に触れてみたかったのではないかと思う。だが一夜だけのカンザスシティの滞在を、父とその一行は、ジャズ・クラブで過ごさなかった。リケット夫妻とフィッシャー婦人も一緒に「アメリカ・ロイヤル名馬大会」(American Royal Horse Show)を見物しに行ったからだ。これは毎年、開催場所を移動して、一週間の限定期間だけ行なわれる馬術競技と品評会を合わせたような一種のお祭りだ。四人は初めてロデオを目の当たりにし、見知らぬ老婦人と勝負を賭けて盛りあがったりと、いかにもバッファロー・ビルを彷彿《ほうふつ》とさせるアメリカを存分に味わった。午前二時になって、やっと六人部屋のベッドに落ち着く。長い一日だったが、翌日には、さらなる大きな出会いが待ち受けているのだった。

「降伏調印書を見ていくか?」

「アポなし」の面会

翌朝は、八時前にリケット氏が迎えに来た。金曜日だが、役所の仕事を休んで付きあってくれるのだ。そして車で一〇分ほどの、ミズーリ州インディペンデンスに向かった。これは前述したアメリカの地理的中心、カンザス州インディペンデンスとは異なる、同名の町だ。第三三代大統領ハリー・S・トルーマンが六歳の時から育った場所で、退任後、そこに大統領図書館を建てたのだった(大統領図書館とは、大統領在任中の第一次資料の保管や公開を担うとともに、その功績を記念するもので、それぞれの大統領ゆかりの地に建設される慣わしになっている)。

大統領図書館では、リケット夫人とフィッシャー婦人が待っていた。そして驚いたことに、ひととおりの見学だけのつもりでいたところ、元大統領本人が会ってくれるという。たまたまテレビ出演の準備で図書館にいたらしい。わずか五分ほどの面会だったが、偉ぶることなく、日本からの客に気さくに対応してくれた。おそらくこのような「アポなし」の出会いは、大統領経験者周辺の警備の厳しさから考えて、現在ではありえないだろう。その点、のどかな時代だったといえる。

トルーマンは七七歳だったが、カリフォルニアの農場主国府田敬三郎と同様、実際の年齢に見合わぬ若々しさが印象的だった（父には、銀髪で縁無し眼鏡の容貌が、自分の父親を思い出させたらしい）。四人が旅の趣旨を伝えると「アメリカをよく見て、帰国したらありのままのアメリカの姿を日本人に伝えてくれ」と言われた。付き添いのフィッシャー婦人のほうが興奮し、会見後にはラッキーだったと喜び、無邪気にはしゃいでいたという。

このトルーマンとの邂逅は、非常に重い課題を現代の私たちに提示しているように思えてならない。そもそもトルーマンは、日本の近現代史にもっとも因縁深いと言っても過言ではない合衆国大統領だ。広島と長崎への原爆投下に、ゴーサインを出した人物にほかならないからだ。もちろん軽く挨拶をしただけの目上の人物に「なぜあなたは私たちの国に原爆を落としたのですか」などと聞けるはずがなかったし、当時そんな考えが四人の胸中にあったかはわからない。父に関していえば、大統領に批判的な思いがなかったわけではないようだ。しかしそれは、トルーマンの演じた歴史的役割や、彼の下した政治判断のため、というよりは、彼の口から出てくる言葉が、父の耳にはおおむね「白々しく」感じられたからだった。社交辞令とはいえ「アメリカ人は平和を願っている。世界中の人がそうだろうし、日本人だってそうだろう。平和のためにがんばろう」、などということを臆面もなく並べ立てられ興醒《きょうざ》めしたらしい。おそらくそれは他の仲間も同感だったらしく、増尾などは旅の翌年、ある雑誌の企画で行なわれた座談会で「トルーマンに会ったというよりも、日本の降伏の調印書を見たほうがよほど印象的だったな」と、率直な気持ちを打ち明けている(『英語研究』一九六二年四月号)。

そう、四人はこの大統領図書館で、日本の降伏調印書を目にしたのである。そしてその文書が調印されたのは、一九四四年に進水したばかりの米海軍戦艦「ミズーリ」の甲板上だった。船をそう命名したのはトルーマンの娘で、まさに大統領ゆかりの展示物を、大統領を記念した場所で閲覧していたことになる。調印書は二部作成され、通常、一部はワシントンDCの国立公文書記録管理局、もう一部は飯倉の外交史料館に保管されている。だが偶然にも四人の訪問時、普段はワシントンDCにある文書が、一時的に貸し出されていたのだった。

おそらくトルーマン自身が、そのことを非常に誇らしく思っていたのではないだろうか。なぜならばその文書こそが「原爆を落とした大統領」でも、「冷戦を激化させ、朝鮮戦争を始めた大統領」でもなく、「第二次世界大戦に終結をもたらした大統領」としてトルーマンを讃《たた》える、揺るぎない、何よりもの証拠だったからだ。だが日本から来た若者たちに、その閲覧を無理強いしたり、これ見よがしに見せつけたりするようなことは、決してしなかった。「見たいか。見たくなければやめたほうがいい」と、事前に見学の意志があることを十分確認したうえで、日本人の四人だけを、文書が保管されてある部屋へ案内したという。トルーマンの発する感傷的、かつ大袈裟な言葉には感銘を受けなかった父も、この配慮ある振る舞いを非常に立派だと感じた。気配りから出たであろうちょっとした言動に、大国の大統領まで務めた人物の人間らしさを垣間見たのだった。

トルーマンというと、その人間味の証としてよく伝え聞くのは、インディペンデンスで過ごした少年時代、安息日とされる土曜日に、働くことを禁止されていた近所のユダヤ教徒のため、雑用をこなすボランティアをしていたという逸話だ。またピアノもその頃から熱心に学び、歴代の大統領の中で、もっとも音楽的素養のあった人物だといわれている。トーマス・ジェファーソンはバイオリンを弾き、ニクソンもピアノを弾き、クリントンはサクソフォーンを吹いたことで知られるが、トルーマンの場合、音楽に対する熱意は桁外れだったようだ。

それにはジャズだけでなく、クラシック音楽教育の盛んな中西部の土地柄も影響したかもしれない。現在でもオハイオ州のオバリン大学やクリーブランド音楽院、インディアナ州立大学ブルーミントン校ジェイコブズ音楽院、シカゴのノースウェスタン大学のビーネン音楽院など、中西部には優れた音楽院が点在し、有数のオーケストラを誇っている。鈴木鎮一《しんいち》の提唱した才能教育運動が一九六〇年代から「スズキ・メソード」として世界に飛び立ったのも、アメリカ中西部の音楽教育者たちの功績によるところが大きい。

トルーマンは大統領執務室にピアノを置き、その前を弾かずに通り過ぎることはなかったという。対日降伏勧告を含む戦後処理を議論したポツダム会談では、ウィンストン・チャーチル

とヨシフ・スターリンの前で、演奏している。さらに会談の半年ほど前、まだフランクリン・D・ルーズベルトの副大統領だった一九四五年二月に、慰問、支援活動の一環として、兵士たちの前でピアノの腕前を披露している。首都ワシントンDCで催されたそのイベントには、ハリウッド女優のローレン・バコールも参加していた。この際プレス用に撮影された、トルーマンが弾くアップライトのピアノの上に、二〇歳とは思えない妖艶《ようえん》なバコールが横ばいに乗っている有名な写真がある。これを見たトルーマン夫人は品がない、不謹慎だと激怒したというが、トルーマンはまんざらでもない様子だ。

もし、トルーマンの立場だったら

そのようなエピソードから想像できるトルーマン像は、遊び心もあり、教養もある人物だ。そして大金持ちに生まれついたルーズベルト(セオドア、フランクリン双方)のような大統領とは違い、農業や畜産を生業としていた家庭に育ち、働きながら州立大学の夜間コースで学んだ努力家である点も、その人となりにいっそうの人間味を加える。だがその同じ人物が、いまだかつてない大量殺戮《さつりく》兵器としての核爆弾の投下を許可したことも、事実なのだ。私が一九四五年の夏、トルーマンの立場にいたらどうしただろうか。

一九四五年までには、枢軸国と連合国の両サイドが激しい「無差別都市爆撃」を行なっており、核兵器も、そんな既存の戦略的選択肢の延長線上で捉えられていた。もっとも民間人の犠牲を大前提とする爆撃は、当初、国際社会で許容されていたわけではなかった。スペイン内戦中の一九三七年四月、ドイツ軍がゲルニカを爆撃した際には非難が集中し、反戦芸術の傑作とされるパブロ・ピカソの『ゲルニカ』が生まれた。だがその一方で、無差別爆撃が必要悪だという考えに多くの人々が適応するのに、さほど時間はかからなかった。そもそも軍事目標に的を絞った精密爆撃が技術的に困難だったこともあり、総力戦においては、民間人も敵として扱うべきという見方が頭をもたげたのだ。そしてヨーロッパ、アジア、太平洋での戦争が長引くにつれて、かえってそれこそが敵国の戦意喪失に有効だという考えが、参戦国の戦略思考の主流になっていった。

忘れてはいけないのは、日本こそは、無差別都市爆撃を行なった最初の国のひとつだということだ。それはとくに蔣介石が移転した国民党の首都重慶で顕著だった。さらに太平洋戦争開戦後の一九四二年には、民間人被害こそ出なかったが、アラスカ、オレゴンとアメリカ本土を空襲しているし、その後も、ニューヨークやワシントンDCを空襲で壊滅せよと、声高に唱える日本人がいた。現実には軍事資源がとうてい足りなかったわけだが。

大日本帝国の好戦的態度や言説、そしてナチス・ドイツの電撃戦に刺激され、報復するかたちで、連合軍も容赦ない無差別爆撃に乗り出し、ハンブルク、ベルリン、ドレスデン、そのほか多くの都市で、民間人や歴史的遺産が犠牲になり、一九四四年末以降は、日本の各都市へのB－29爆撃もエスカレートしていった。一九四五年、三月九日から一〇日にかけて行なわれた東京大空襲では、推定八万人から一〇万人が一夜にして無惨な死を遂げている。

核兵器の例外的な破壊力や、被爆後の恐ろしい後遺症を否定するのではない。そして人種差別や、真珠湾攻撃に端を発する復讐の念が、アメリカの政策決定の底流に存在しなかったとは誰も断言できない。だが、たとえば「人種差別が、日本の都市を原爆投下の最初の標的に成さしめた」とか、「落とす必要のなかった原爆、それもひとつでなくふたつもが、見せしめのため日本に落とされた」といった後づけの憶測には、警戒が必要だ。そのような見方は、原爆投下の決断が、第二次世界大戦のなかでまるで突発的に行なわれたような間違った印象を与える。

一九四五年四月一二日、ルーズベルト大統領の急死によって、副大統領から大統領に就任したトルーマンは、ひと月と経たない五月八日、自らの誕生日に、連合国のヨーロッパにおける勝利を祝うことになる。残るはアジア・太平洋での戦争だった。マンハッタン計画によって新しく開発された核兵器が、とてつもなく恐ろしい威力をもっていることを、トルーマンは理解していた。「我々は世界の歴史上、もっとも恐ろしい爆弾を発見した」と、一九四五年七月二五日の日記に記している。だがそれでも戦争の迅速な終結と、より多くのアメリカ人と日本人の命を救うためという理由で、原爆投下を決意したのだった。その背景には、日本列島上陸作戦となった際には、日米両サイドに数えきれない犠牲が出るだろうという予測があった（春からの沖縄戦の経験は、アメリカの本土決戦への不安をいっそう掻き立てていた)。また、日本の降伏がもたつけば、ソ連による侵攻も考えられた。原爆投下は、より少ない犠牲者と、より速やかな日本の降伏を求めたすえの苦しい決断だったというトルーマン自身の説明は終生変わらず、それは放射能被曝による後遺症がアメリカで大きく知られるようになってからも、同じだった。そして原爆投下はあくまでも自分が大統領として下した決断だとして、他人に責任転嫁するようなことも、いっさいしなかった。したがって、父、またはその旅仲間が原爆についてトルーマン本人に質問したとしても、おそらくそれ以外の答えが返ってきたとは考えられない。

「合理性」にもとづくトルーマンのこうした主張は、そもそもが非人道な犠牲を強いる総力戦の上にしか成り立たない、苦しく、かつおぞましい議論だ。だからこそ、無差別爆撃による大量殺戮という非人道行為に、すべての交戦国が鈍感化していったプロセスを、歴史の流れとして理解する必要がある。トルーマンの原子爆弾投下の決断だけを、スナップショットとして捉えることは、木を見て、森を見ないのと同じではないか。

記録と記憶のはざま

原爆使用に対する「合理的」弁明

たしかにトルーマンは、既存の「無差別都市爆撃」戦略の延長線上に核兵器をとらえ、その投下を決めたのだろう。だがその一方で、実際の原爆は、それまでの戦略思考の想定内にとうてい収まりきらない未曽有の破壊力をもって炸裂し、死の灰、黒い雨をつくりだし、多くの苦しみ、悲しみ、不安、恐怖を撒き散らしていった。そんな原爆の影響をいち早く記録し伝えたのは、アメリカ人のピューリッツァー賞受賞作家ジョン・ハーシーだった。ハーシーは第二次世界大戦中、太平洋の戦場を取材し、ソロモン諸島沖でジョン・F・ケネディの指揮する高速魚雷艇が日本の駆逐艦によって沈没させられ、九死に一生を得る様子を「ザ・ニューヨーカー」に寄稿している。ケネディの英雄像の構築に、大きく寄与した作家でもある。

そのハーシーが一九四六年の春、三週間をかけて広島を取材し、ふたたび「ザ・ニューヨーカー」に寄稿した。当初は四度の連載を予定していたが、記事のあまりの重要性に、八月三一日号の全ページをその作品に割くことになった。巻頭に、編集部から読者へ向けたメッセージとして、こう記してある。「今週号は、原子爆弾による一都市のほぼ完全な破壊と、そこに住む人々に何が起こったのかについて、全部のスペースを捧げている。我々のほとんどは、まだこの兵器の、信じられないほどの破壊力を理解していない。そして、その恐ろしい影響を検討するのには、時間がかかるだろう。そのようなことを考慮し、この形を取ることになった」

ハーシーは、被爆者のなかでもとくに六人の経験に絞って記事を書いた。そのなかの一人が戦前、ジョージア州エモリー大学に学んだメソジスト派のプロテスタント牧師、谷本清で、彼は「ノー・モア・ヒロシマ」運動を提唱したり、ハーシーの記事を翻訳したりと、平和運動で中心的な役割を果たすことになる。ハーシーの寄稿は、非常に写実的に、臨場感をもって原爆の威力と被害について記述しており、力強く個人的な物語に仕上がっている。そして生き延びた被爆者たちが苦しむ不思議な症状についても、言及している。記事のアメリカ世論への影響は、すぐに感じられた。

スーザン・サザードは、長崎の被爆者のその後を追った著書『ナガサキ――核戦争後の人生』で、その様子を詳細に記している。それによると、ハーシーの記事が掲載された「ザ・ニューヨーカー」は店頭ですぐに売り切れ、増刷希望が殺到した。アルバート・アインシュタインも一〇〇〇部注文したという。そしてあらゆる地方紙で記事が再掲載され、ABCラジオが連続朗読プログラムを放送するという異例の事態となった(一〇月には記事がクノップ社から本として発行され、半年のうちに一〇〇万部を売り上げるグローバルベストセラーになっている)。

だがそうやってアメリカの一般市民のあいだに「原爆投下は間違いだったのではないか」という疑念が湧き起こると、今度は政府がそれを徹底否定するという動きに出た。反論に出たトップの論客は、戦時の国務長官だったヘンリー・スティムソンだった。一九四七年二月、「ハーパーズ・マガジン」に寄せた記事において、スティムソンはトルーマンと同じく、いかに原爆が「日本上陸により払わなければならなかったであろう人的犠牲」を激減させ、より速やかな終戦に導いたかを説いたのだった。面倒で不都合な論点は大方無視された。たとえば「放射能の影響が予測できない核兵器を使用したことは、戦争犯罪に等しいのではないか」という倫理的疑念や、「日本の降伏は、原爆なくしても秒読みであったのではないか、ましてやふたつ目の原爆は、必要なかったのではないか」という、情勢判断ミスを問う声だ。

それでもスティムソンの主張は一貫し、揺るぎない印象を多くの読者に与えた。そしてこれを境に「生じ得た多大な犠牲者の数」を防いだとする「合理的」弁明が、アメリカにおける歴史観の主流となっていく。それは言い換えれば、冷戦における独特の勢力均衡システムを積極的に肯定する歴史観でもあった。核の牽制力と抑止力に頼る国際関係のバランスは、結果的に、広島と長崎の被爆がもたらしたものだったのだ。

一九四九年の夏、ソ連が最初の核兵器開発に成功すると、さらなる切迫感をもって、核抑止力がアメリカの防衛政策の機軸となり、一九五〇年代に入ると、両国による水爆開発レースが加熱した。それと同時に、自由世界をソ連統治から守るためにも、アメリカは強くあり続けなければならない、つまり核兵器を持ち続けなければならないという考えが募っていった。共産主義への恐怖は、一九五〇年代前半、ピークを迎え、ジョセフ・マッカーシー上院議員による「赤狩り」、いわゆるマッカーシズムが、言論の自由を奪うまでになるのだった。一方、一九五四年三月、ビキニ環礁で行なわれたアメリカによる水爆実験によって、第五福竜丸が被爆する。反核に根ざした日本の平和運動にさらなる勢いがつき、その世相は、無差別に放射能を撒き散らす「水爆大怪獣」ゴジラを生んだ。

冷戦激化のなかでの核兵器への不安と憎悪の高まりとは別に、「核の平和利用」を謳った政府主導の原子力発電が日本で現実化していったのも、ちょうどこのころだった。一九五五年末、原子力基本法が成立したのが、原発大国日本の始まりだった。だが核の「平和利用」が必ずしもその「安全利用」を保証するものでないことは徐々に明らかになっていく。まさに一九八六年のチェルノブイリ原子力発電所事故は、核との共存の難しさを知らしめたし、レベルや規模が違っても、原発事故は世界各地で起きていた。それでも原子力の安全神話に、おそらく多くの日本人が、すがりついていた。二〇一一年、東日本大震災に続く福島第一原子力発電所事故までは。自然災害がきっかけとなったとはいえ、この事故は数々の警告を無視し、原子炉を安全に運営することを怠った人為の悲劇であり、危機管理意識や責任体系の欠如という、日本的組織の根本問題を暴露する一大事件だった。だがこの事故が、「そもそも核エネルギーを管理し、利用し続けることが本当に必要なのか」を考えることに繋がったことも、事故後に起こった反原発、脱原発デモにみてとれた。

双子の宿命

そのような経験を経てもなお、核に対する日本人の立ち位置は、曖昧であり続けている。唯一の原爆による被爆国であり、水爆実験、原発事故に関連して犠牲者を出している国ではある。だが核兵器と核電力は別の問題だととらえる人もいれば、反対に、いかなる目的であっても、核エネルギーの利用を良しとしない人もいるだろう。核に関する考え方も、安全保障問題と同様、左右両極化が顕著だ。また意見の違いとは関係なく、一体どれだけの日本人が、核エネルギーそのものを理解しているかにも疑問が残る。たとえば、それが「どのようにつくられるのか」とか、「より安全な核エネルギーが存在するのか」、などといった少し踏み込んだ問題をだ。

さらに根本的な問題は、より大きな場所にあるような気もする。それは東アジアにおいて、冷戦がいまだに終結していない、という、揺るぎない国際社会の現実だ。君臨する中国、予測のつかない北朝鮮という海を隔てた隣国は、いずれも共産主義国家であり、この地域における冷戦構造を継続させている。日本政府が核兵器禁止条約を批准しないのも、国の安全が、いまだアメリカの核抑止力の上に成り立っていることの証明にほかならない。そこに戦後日本の平和観の矛盾も、存続する。

トルーマンが四人の日本の若者に宣言したように、「平和」への願いは、多くのアメリカ人、日本人、そして世界中の人にあるだろう。だが平和とは、その性質上、多分に同語反復的なところがある。たとえば戦争を思いとどまるのも、戦争をするのも、どちらも「平和のため」として説明することが可能だ。広島や長崎の平和記念式典で、または全国戦没者追悼式で、日本人は心をひとつにして、平和を祈る。その思いの強さは錯覚ではないだろう。戦後日本人のアイデンティティが、反戦思想と平和主義に深く根付いてきたことは否定できないし、胸を張れることだと信じている。それでも、心から祈ることだけで、平和が保たれていると信じるのは危険だ。平和そのものの定義も、たとえば「核抑止力の上に成り立つ平和」と「核が根絶された世界の平和」では、随分と違う。平和と一口にいっても、その中身は決してひとつではないことを認識したうえで、冷静かつ活発な議論をすることが、もっと必要なのではないだろうか。

一九八五年、ハーシーは広島に戻って来た。「ヒロシマ・その後」と題した「ザ・ニューヨーカー」へのフォローアップ記事取材のためだった。その際、こう述べている。「終戦以来、世界を核兵器の脅威から守ってきたのは、核抑止力とか、核兵器に対する恐怖ではない」。では何がというと、「広島で起きたことの記憶」こそが、核戦争の勃発を防いできたのだ、と。

真理をついているようなこの言葉に、私は完全には同意できない。なぜならば核抑止力や核兵器への恐怖は、そもそも原爆被害の記憶と切り離して考えられない問題だからだ。記憶が原子爆弾の殺戮威力を人々のなかにとどめ、核兵器の恐ろしさを継承していくという意味では、被爆の記憶と核抑止力は、どちらか片方だけを切り離すことのできない双子の宿命を背負っているように思える。

もちろんハーシーの強調する記憶の重要性に関しては、そのとおりだと思う。トルーマンの原爆投下の決断が、無差別都市爆撃だとか、どこまで信頼できるのかわからない被害者数予測を天秤にかけたすえの「合理的結論」といった文脈で語られることに、嫌悪感を覚える人がいることは、想像に難くない。なぜならばそれは、被爆の記憶に対する冒瀆行為のように映るからだ。

できるだけ客観的に歴史を語ろうとするなかで、主観に頼る「記憶」という生き物と、どう付きあうべきなのか。その難しさや、もどかしさについて、大学時代の恩師シェルドン・ガロンと、議論することがある。教授は近年、まさにドイツと日本における無差別都市爆撃の比較研究に没頭している。ついこのあいだもメールでのやりとりがあり、そのなかで、とくにトルーマンの原爆投下決断と、その遺産としての「記憶」にどのような折り合いをつけられるのか、意見を聞いてみた。すると教授は、自分の経験では、戦争中の話であろうと、戦後の話であろうと、「原爆」という言葉に少しでも触れると、多くの人は、それ以外のことが見えなくなり、耳を貸さなくなるという。そういう時はどうするのか。「僕のアプローチは、なるべく「記憶」

が支配する領域には足を踏み入れないこと。もちろんそれでは何も解決しないけどね」

明子さんのピアノ

ゼルキンの演奏を聴く

トルーマンが、ローレン・バコールを乗せたアップライトピアノを演奏する写真を見て、もう一台のピアノを思い出した。「明子さんのピアノ」だ。そのピアノもアップライト式で、オハイオ州シンシナティにあるボールドウィン社が一九二六年に製作したものだった。持ち主の河本明子も、同じ一九二六年、ロサンゼルスに生まれた。「おじいさんの生まれた朝に買ってきた」という「大きな古時計」さながらに、明子はこのピアノと人生を共にした。だがそれは短い、たった一九年の生涯だった。初めてのクリスマスに撮った写真では、ひとり座りできるようになったばかりと思しき生後七カ月の明子の背後に、大きなツリーと、このピアノが写っている。一九三三年、家族で広島に移った時も、このピアノが一緒で、明子の心の支えとなった。

明子は一九四五年八月六日、学徒動員の作業中に被爆し、翌日、帰らぬ人となった。残されたピアノは六〇年後の二〇〇五年、調律師らの奮闘により音色を蘇らせる。それ以来、この被爆ピアノでマルタ・アルゲリッチやシャルル・リシャール゠アムランといった著名なピアニストが演奏している。私がこのピアノの存在を遅ればせながら知ったのは、昨年のことだった。

ピーター・ゼルキンが奏でるヨハン・ゼバスティアン・バッハのシンフォニアの録音を、耳にした時だ。

ゼルキンとは、晩年の二年ほどのわずかな時間だったが、縁あって交友があった。その録音は、二〇二〇年二月にゼルキンが亡くなってから程なくして、共通の友人が、メールで送ってくれた。二〇一七年八月に「平和の夕べコンサート」に出演するためにゼルキンが広島を訪れた際、「明子さんのピアノ」を知り、演奏を希望し、自ら iPhone で録音したものだという。録音と一緒に、原爆ドームを前に、明らかに驚きと悲しみの表情でいるゼルキンの写真も添付されていた。四分ほどのレコーディングを聞くあいだ、涙が止まらなかった。ヘ短調の哀愁に満ちた音色と相まって、稀有のピアニストでありヒューマニストであったゼルキンが旅立ってしまったことの悲しみと、ピアノに刻まれた被爆の記憶の重みが、一気にのしかかってくるような、不思議な感覚に襲われた。

ゼルキンがこの被爆ピアノで奏でた音は、いったい記録と記憶のはざまの、どこに流れていったのだろうか。音楽こそが、時空を、そして歴史や記憶を超えて、魂を揺さぶり得るのだろうか。もっとも音楽に過剰な役割を期待するのは、愚かなことだ。美しい音楽を聴いたり、演奏したりできる、「文化的」なはずの人間が、実生活では蛮行をなすのを、歴史は山ほど目撃してきたことだろう。ホロコーストを扱ったスティーブン・スピルバーグの一九九三年作品『シンドラーのリスト』の一シーンは、それを如実に物語っている。

ナチス兵のグループが、ユダヤ人居住区のなかの一軒に押し入る。兵士の一人が、居間にアップライトピアノがあるのを見つけると、突如、バッハのイギリス組曲第二番プレリュードを演奏し始める。同僚が機関銃で住人を殺害するなか、眩《まばゆ》いばかりの閃光が家中を照らし、銃声がピアノの音色と相まって、リズミカルな不協和音を吐き出す。ピアノの音に気づいた兵士が一瞬「作業」の手を止め、演奏者に何を弾いているのか問う。「それはバッハかい」。返事がないと、もう一人の仲間が自信満々に断言する。「違う違う。あれはモーツアルトだ！」そして、そのような会話がなかったかのように、バッハの音楽と虐殺が、続くのだった。ハンナ・アーレントのいうところの「悪の陳腐さ」改め、「文化の陳腐さ」が、見事に表現されている。

ある秋晴れの日

それでもゼルキンが被爆ピアノで演奏したバッハには、どんな言葉や行動にも及ばない、人間の表現し得る生命の美が、凝縮されている気がする。ゼルキン自身が、第二次世界大戦の落とし子だということも、その思い入れを強くしたのだろうか。父はユダヤ系難民としてアメリカに渡ったピアニスト、ルドルフ・ゼルキン、そして母方の祖父は、ルドルフ・ゼルキンを含むユダヤ系音楽家を多く助け、自らもアメリカに移住したドイツ人バイオリニストのアドルフ・ブッシュだ。このアメリカ中西部でつくられ、太平洋を渡り、日本人の持ち主に生涯愛され、広島で被爆したピアノで、ユダヤ系ドイツ系アメリカ人の演奏するバッハをトルーマンが聴いたとしたら、一体、何を思ったことだろうか。それでも原爆投下は正しかった、というのだろうか。

その秋晴れの日、四人が経験したトルーマンとの偶然の出会いは、胸につかえる、答えのない疑問を呈する出来事だった。だが、カンザスシティでのひとときについて、確実にいえることがある。それはリケット夫妻とフィッシャー婦人という、善意溢れる人々の気負わぬもてなしによって、日本の若者たちが、短時間にかかわらず、存分にアメリカのハートに触れたことだった。トルーマン図書館を後にした一行は、リケット家に招かれ、「Italian Food(マカロニ)」と宇津木が記録した昼食をご馳走になる。これはおそらく中西部の郷土料理ともいえるマカロニ・アンド・チーズのことだろう。チーズとマカロニをからめたこの一品は、牛肉やとうもろこしと同じくらい、中西部一帯で好んで食べられる。日本ではマ・マーマカロニが一九五五年からマカロニの大量生産を始めていたが、たっぷりと乳製品を使う、イタリアンとは言い難いこのアメリカ名物料理は、四人にとって、本場のハンバーガー同様、新しい味だったのではないだろうか。

昼食後は、心地よい秋の冷気のなかで、賑やかに、たくさんのおしゃべりとともに、出発の時間まで時を過ごした。リケット夫妻とフィッシャー婦人は、名残惜しげに、バスターミナルまで送ってくれた。前日から続いて丸一日を通りすがりの日本人大学生のために費やしてくれたのだ。一六年前まで、お互いの国が「鬼畜」だ「ジャップ」だと憎しみをあらわに罵倒し、命懸けで戦っていたことを考えると、このアメリカ人たちの余すことない親切は、感慨深い。ハーシーの言うように、受難や恐怖、苦しみの記憶は、力強く現代に呼応し、我々がさらなる間違いを犯すことを、防いでくれるのかもしれない。そう信じたい。だがもう一方で、簡単に忘れがちな、ごく小さな親切や善意、個人的なふれあいの記憶も、それと同じくらい必死で守る価値があるのではないだろうか。

第Ⅲ章　憧れの「国際人」

第二都市病

巨大なバスターミナルへ

一行は一〇月二〇日金曜日、カンザスシティに別れを告げ、週末の旅行者で混雑する夜行バスに乗った。ミズーリ州セントルイスを経由すると、バスはひたすら北上し、翌朝五時にはシカゴに到着する。そこからさらにデトロイトを見たところで、アメリカ中西部の旅程を終え、東部入りすることになっていた。

ひとくちに中西部（ミッドウェスト）といっても、一二州ある。ノースダコタ、サウスダコタ、ネブラスカ、カンザス、ミネソタ、アイオワ、ミズーリ、ウィスコンシン、イリノイ、ミシガン、インディアナ、オハイオだ。とくに中西部でも東寄りの最後の五州は、産業、教育、奴隷制廃止運動などの多方面で、東部エスタブリッシュメントと密接な関わりを持ちながら、同一歩調の発展を遂げてきた。四人の目下の目的地、イリノイ州シカゴは、そのなかでも最大の都市であり、まさに中西部のトップランナーだ。そして中西部だけでなく、アメリカの第一都市になることを切望し続けた街でもある。

シカゴに到着したのは一〇月二一日、土曜日の午前五時だった。第二次世界大戦のために工事が延期され、一九五三年、鳴り物入りでオープンしたグレイハウンド社のバスターミナルは、ダウンタウンの中心部、クラーク通りとランドルフ通りが交差する一ブロックを丸ごと占拠する、五階建てのビルだった。大きな鉄道駅、または空港さながらにショッピングアーケードが完備され、あらゆる売店やレストランが入居していた。四人はとりあえずホットドッグと熱い紅茶の朝食を済ませ、地上を目ざす。地下のコンコースから長いエスカレーターに乗って、地上階の出口まで行く仕組みだ。まるで宇宙船から、未知の世界に吸い出されていくように。四人がエスカレーターを上りきったところで、間髪を入れず、タクシーの運転手に声をかけられた。

五分ほどのホステルまでの乗車で、二ドル五〇セントだと言われた。安いのか高いのか判断できず、とりあえず五〇セントをチップとして上乗せし、最終的に三ドルを払った。だがチップをすでに上乗せしての二ドル五〇セントだったらしい。当初からフレンドリーだった運転手の機嫌がさらに良くなり、荷物を運ぶのを手伝ったり、ドアを開けたりと、大変な騒ぎだ。その過剰なサービスぶりで、払い過ぎにやっと気づくという、チップ文化の難しさを痛感する四人だった。

一行は相当疲れており、二人部屋に分かれてチェックインすると、朝の六時から昼過ぎまで深い眠りに落ちた。バスを降りた時は、曇り空の下で冷気が身に染み、オーバーを初めて取り出したが、反対に、二〇階建てのＹＭＣＡの室内は、安宿にもかかわらず暖房が効きすぎて苦しい。贅沢なことだが、窓を開けなければ眠れないほどだった。これぞ富める国の証だろうか。目覚めた後、その日いっぱいは、カフェテリアで食事をしたり、コインランドリーで洗濯をしたり、日本に向けて初めて落ち着いた手紙をしたためたりと、もっぱら回復に努めた。大都会を闊歩《かっぽ》するためにも、必要な休息だった。

バスターミナルの絵葉書

それはどんな街なのか。作家で詩人のカール・サンドバーグは、一九一六年、「シカゴ」の冒頭にこう詠んだ。シカゴとは、

世界が市場の豚肉精肉業者
工具製作者、小麦の積み上げ人
鉄道投機家、国の貨物取扱い人

荒々しく、しゃがれ声で、けんかっ早い
広い肩幅の街

Hog Butcher for the World,
Tool Maker, Stacker of Wheat,
Player with Railroads and the Nation's Freight Handler;
Stormy, husky, brawling,
City of the Big Shoulders:

私のイメージでシカゴといえば、なによりも実話にもとづくミュージカル『シカゴ』に尽きる。何度か実際に訪ねたことのある街であっても、名前を聞いて想起するのは、この作品の舞台だった、一九二〇年代のシカゴの黄金期だ。表向きには、川沿いに建てられた美しいアール・デコ建築の高層ビルと、それが象徴する富(それも短期間で一気につくりあげられた、成金的な富)。その裏には禁酒時代の隠れ酒場、ギャングスターや女殺人犯、労働組合、扇情ジャーナリズム、そしてカンザスシティ同様、ジャズの響き。より簡潔にシカゴを表現するには、「風の街」(The Windy City)というニックネームがある。四人もすでに、フィッシャー婦人から「シカゴは風がすごいわよ」と脅されていたらしい。大平原や湖から吹く風が、なるほど高層ビルの密集する地域に流れ込み、さらなる強風となって街中を駆け巡る。

長い衰退の時代へ

だがシカゴには、もうひとつ有名な、シカゴ市民にとってはうれしくないあだ名がある。「第二の都市」(The Second City)だ。これは生粋のニューヨーカーで、雑誌「ザ・ニューヨーカー」の専属ライターでもあったA・J・リーブリングの一九五二年の著書『シカゴ――第二の都市』(*Chicago: The Second City* 未邦訳)に由来している。一九世紀末から二〇世紀初頭にかけて、シカゴの人々は、自分たちの街がやがてニューヨークを凌《しの》ぎ、アメリカ第一の都市になるかもしれないと、期待に胸を膨らませていた。そして確かにシカゴには、一時、そのような勢いがあった。五大湖とミシシッピ川を結ぶ好アクセスに目をつけた鉄道建設により土地が高騰したことで、シカゴは貿易と交通のハブとして急成長を遂げた。一八七一年には、アメリカ史上最悪の大火に襲われたものの、目覚ましいスピードで復興を遂げた。一八九三年のシカゴ万国博覧会は、その回復祝いともいうべき一大イベントだった。

この万博には、不平等条約撤廃を目ざす日本も、積極的に参加した。歴史と文化に富んだ文明国ぶりを披露するため、国を挙げて職人や資材を送り込んだ。伝統建築技術を結集して建てられた日本館は、後に帝国ホテルを手がける建築家フランク・ロイド・ライトにも、大きな影響を与えたとされる。地元で開催された万博の成功に気をよくした「シカゴ・トリビューン」紙の論説員は、大袈裟に、誇らしげにシカゴを讃えた。「人類史を通して偉業を成し遂げた「あらゆる時代の相続人」であるシカゴの足元に、世界から「普遍の賞賛と愛という貢ぎ物」が置かれた、と。これを揶揄《やゆ》して、およそ六〇年後、リーブリングは記す。シカゴは素敵な貢ぎ物のお返しとして、「世界の足元に、屠畜された豚を置いた」。辛辣な筆は止まらない。シカゴの人格は、「幼少期から莫大な遺産を相続できると信じて育ったのに、中年になってから、それが間違いであることに気づいた男」のものなのだと。

リーブリングが本を著した一九五〇年代初頭から、シカゴの本格的な斜陽が始まっていた。その経済構造はよりグローバル化し、国や世界の産業のあり方そのものが大変換を遂げていた。そのなかで痛手を負ったのは、シカゴの畜産業や鉄鋼産業だった。肉体労働に従事することで鍛え上げられた「広い肩幅」を誇る労働者階級は、大規模な失業に苦しみ、市内では一九五〇年から一九九〇年までの四〇年の間に、二三パーセントの人口減をみた。治安悪化や、都市空洞化も進んだ。四人が降車した近未来の夢のようなグレイハウンドのバスターミナルは、その影響を真面《まとも》に受けた。そこは一九六〇年代も後半になると、やくざ者や薬物中毒者がたむろする危険な場所に成り代わっていた。一九七五年一一月、「シカゴ・トリビューン」がこのターミナルについて特集記事を掲載したが、タイトルは「さあ、もうすぐレイピスト、スリ、浮浪者を乗せたバスが発車します」という衝撃的なものだった。そして一九八九年、ターミナルは、ダウンタウンの再活性化プロジェクトの一環として、取り壊されるのだった。

もちろん都市の空洞化や治安の悪化は、同時期のアメリカの多くの都市を直撃していた。そして、それは時間をかけ改善の努力が行なわれ続ける、現代に連なる問題でもある。だが一時は「アメリカ一」、いや「世界一」を夢見たシカゴにとり、埋めようのない夢と現実のギャップは、より応えたことだろう。そして「第二都市病」(Second Citynitis)が、さらに慢性化する。

この病名は、正規の英語のボキャブラリーには存在しない、まったくの造語で、私の夫で作家のイアン・ブルマが使い出した言葉だ。数字で指標化できる人口とか所得レベルという意味合いにおいてではなく、文化の充実度を語る際に用いる。実際リーブリングも、出版や演劇、音楽、芸術などの文化面から、シカゴのことを、どんなに頑張ってもニューヨークにはなれない「第二の都市」と呼んだのだった。そんな第一と第二の都市の関係は、アメリカにおけるニューヨークとシカゴだけでなく、世界中にみられる。アムステルダムとロッテルダム、ロンドンとマンチェスター、東京と大阪、シドニーとメルボルン、北京と広州などが思い浮かぶ。

アメリカン・スタンダード

オバマを送り出した都市

だが第二都市病も、悪いことばかりではない。自分たちが一番と奢っている街よりも、貪欲に文化を取り入れる努力を怠らない第二の都市のほうが、実は大いなる創造性を発揮する場合もある。シカゴがバラク・オバマやピート・ブティジェッジのような、国政に新風を吹き込む人材を送り出したことでもわかるように、それが政治や社会変革のエンジンとなることもあるし、自虐や風刺の精神が不可欠なコメディの分野で、思う存分に発揮されることもある。

一九五〇年代にシカゴ大学の学生が立ち上げた即興劇団、その名もずばり「セカンド・シティ」(The Second City)は、ジョン・ベルーシ、ダン・エイクロイド、ジョン・キャンディーから始まり、クリス・ファーレイ、スティーブン・コルベア、ティナ・フェイなど、第一線で活躍するコメディアンを大量輩出し続けている。そして、ニューヨークから生放送されるNBCの長寿バラエティ番組「サタデー・ナイト・ライブ」に登場するのも、おおむね、この劇団の卒業生だ。日本でみられる「関西で成功した芸人が、上京して全国区に進出を果たす」という構図に、似ていなくもない。

コメディだけではない。シカゴと、それが引っ張る中西部一帯は、アメリカの標準価値を構築する、スタンダード・セッターとしての役割を担ってきた。その顕著な例が、英語の発音だ。今日「アメリカ英語」として世界中で認識されている英語は、実は中西部の英語をベースにしている。言語学者のジョン・サミュエル・ケニヨンは、一九二〇年代に、アメリカ英語の発音を体系化した研究で知られるが、その際に「標準」としたのが、自らの出身地である中西部の発音だったのだ。それが放送業界においても、アメリカの標準として浸透していった。ラジオ番組の黎明《れいめい》期、多くのリスナーを獲得した人気キャスターに、中西部出身者が多かったことも、中西部アクセントの「標準アメリカ英語化」に寄与した。イリノイ州出身の第四〇代合衆国大統領ロナルド・レーガンも、その一人だ。元はハリウッド俳優だったことばかりが注目されがちだが、それよりさらに前の一九三〇年代、中西部のラジオ局でスポーツキャスターとして活躍したのが、レーガンの名前が全国区になった最初だった。

この「標準アメリカ英語」が想像しにくい場合、何世代もの日本人が聞き親しんできたDJ

小林克也の英語を思い出してみるとよいかもしれない。小林は学生時代、FEN(Far East Network 極東放送網。現在のAmerican Forces Network 米軍放送網)のラジオ放送を聴き、ネイティブの発音を学んだという。そこから流れてくるのは、まさに「中西部アクセントの標準アメリカ英語」そのものだった。一九五〇年代に中学生だった日本人にとって、非常に懐かしいとされる英語の教科書『Jack and Betty』然り。主人公たちの物語が、シカゴ郊外の町エバンストンに設定されている。そのセッティングが、アメリカの中産階級、いわば平均かつ中央値の生活を表現するのに最適だと見なされたからだ。この教科書は、英語の語彙や発音だけに止まらず、生活ぶりでも「アメリカン・スタンダード」を日本の学生に伝えようとしたのだろう。

ことばが通じない!

我らが旅人の英語力は、いかほどだったのか。宇津木には、とくにこの中西部訛りの英語が聞き取りにくかったらしく、辟易《へきえき》している。父は反対に、理解してもらうことに苦労したようだ。アメリカ的発音を意識してか、母音を強調し、大きく発声するようにしてみた。だが何かが微妙に違っていたらしい。たとえばバス・ストップの食堂で飲み物を注文する際、「To-meeeehito juice, please」と思いっきりアメリカンにやってみても、一向に通じない。ふてくされて「ちぇ、トマトなんだけどなぁ」と日本語でつぶやくと、「あ、トマトジュースね」と、あっさりわかって、皆が爆笑したという話もある。

シカゴに関していえば、四人は二日目からは博物館、水族館、美術館を巡ったり、市民が誇る一八九二年開業の地下鉄「L」を乗りこなしたり、ミシガン湖畔を散策したりと、積極的に動き回っているようにはみえる。だが、それまでに比べると、シカゴでの滞在はちょっぴり精彩を欠き、早くも中だるみが到来した感もある。畜産業関連で訪ねる予定だった女性とは、連絡のタイミングが悪く見事にすれ違い、シカゴ大学の教授を訪ねても不在といった感じで、色々とうまくいかないことが続いた。ノースウェスタン大学も訪ねる予定だったが、それをやめて反省会まで開いたことを、宇津木が記録している。ある午後、宇津木と細野は、当時「世界一大きいデパート」と豪語していた、シカゴが本拠地の百貨店シアーズに買い物に行っている。お土産用の革鞄や、パーカー社のボールペンを購入したが、大きな機械類が記憶に残ったくらいで、全体を見た感想は「日本のデパート程の品数はない」だった。

そのほか滞在二日目の夜は、「堀さん」という、細野軍治の留学時代からの知りあいの一家にお世話になっている。大勢で広東料理をご馳走になり、久しぶりの米食に感動した。だがその席で、堀にシカゴYMCAの悪名高き不潔さに注意するように言われ、急に心細くなったりもしている。三泊したわりには冴えなかったこの街の滞在も、ただその夜景の美しさには誰もが心を打たれたようで、「第二の都市」は、どうにか大都会としての面目を施したのだった。

自由を我等に

フォードの本拠地へ

中西部の旅は続く。一〇月二四日、六時半に起床し、タクシーで件のバスターミナルへ向かう。学習能力を発揮し、今回はチップも込みで、二ドルで済ませた。八時半にデトロイト行きのバスに乗る。道中は、旅の最初の頃の荒野の情景とは打って変わって、色濃く紅葉する樹木が、目を愉しませてくれた。休憩も挟んで、午後二時半にはデトロイトに到着した。そしてシカゴ同様、タクシーでＹＭＣＡに向かう。そこまでの行動パターンも似ているが、チェックイン後、ぶらりと外出して旅人が受けたデトロイトの印象が、なんともシカゴと似通っている。

それでもシカゴと違うのは、ここでは確固とした「フォード・モーター・カンパニー見学」という目的があったことだ。翌日のアポイントメントの確認電話も入れ、夕食はＹＭＣＡ内のカフェテリアで済ませることになった。すると食堂で、東京学芸大学の教授という男性に出くわした。アメリカだけでなくヨーロッパも含めた視察旅行の途中で、日本に帰るのはまだ先の年末の予定だという。いささか人恋しい様子に見受けられ、一行は教授の部屋で少しの間、語らった。グループでの旅はそれなりの難しさもあっただろうが、この教授が味わっていたと思しき、誰かと話したい時に相手のいない孤独感とは、無縁だっただろう。だが朝が早いので、いつまでもホームシックの教授と話し込んでいるわけにもいかなかった。

翌朝、フォードの社員が迎えに来て、車で三〇分ほどのディアボーンの工場まで送ってくれた。フォードの創始者ヘンリー・フォードは、いうまでもなく、アメリカを車社会にした人物である。二〇世紀初頭、ベルトコンベアを使っての流れ作業で、自動車製造の大幅なコストダウンと大量生産に成功し、車を贅沢品から生活必需品に変えた。Ｔ型フォード、通称「ティン・リジー」(Tin Lizzy ブリキのリジー)は、一九〇八年から一九二七年の間に、一五〇〇万台以上製造されたという。一行は、フォード十八番《おはこ》の流れ作業が生かされる鉄の圧延と、エンジンの組み立てを見学した。一つひとつの工程が、非常にわかりやすい。だが広い工場は、巨大な機械で埋め尽くされ、その雰囲気は寒々しかった。結構な数の人間がいるのにもかかわらず、計器の調整をするばかりで、労働者らしい労働者が、どこにもいなかった。細野は、一塊一四トンの真っ赤な鉄片が、長く引き延ばされる場面は圧巻だと記録する。機械が動くたびに大量の火花が飛び散り、それが隣接する水槽で冷却され、蒸気が上がる。だがほとんど機械がやってしまうので、係の人はけだるそうな顔で、時たまスイッチを入れたり切ったりするだけにみえる。宇津木も同様の感想を持ち、人間が機械に扱われているような有り様は、チャップリンの『モダン・タイムス』を彷彿とさせると書いている。

一九三六年に公開された『モダン・タイムス』は、その機械文明批判で広く知られ、とくにチャップリン扮する作業工が、ベルトコンベアで流されて、大きな歯車に巻き込まれるシーンが印象的だ。だがこの作品に先立つこと五年の一九三一年、フランスの巨匠ルネ・クレールは、産業社会で人間らしさが奪われていく危険性を描いた風刺コメディ『自由を我等に』で、酷似するベルトコンベアのシーンを撮っている。学生時代、このクレール作品を初めて観た時、私は当然、チャップリンがそれに影響を受けて『モダン・タイムス』をつくったのだろうと思った。だが因果関係は、そこまではっきりしていなかった。チャップリンは類似性を指摘された際、自分も、そして映画製作に関わった誰もが、クレールの作品を観ていないと主張したそうだ。この「真似した、真似しない」の論争は、戦後まで長引いたという。

クレール自身は、チャップリンの天才を認めていたため、「もし真似してくれたのだったら、それは光栄なこと」ぐらいに考えていたようだ。これは手塚治虫の遺志を継ぐ人々が、「ディズニーが『ジャングル大帝』を真似して、『ライオン・キング』をつくってくれたのであれば光栄だ、なぜなら、手塚は非常にウォルト・ディズニーを尊敬していたから」、と大きく構えていることを彷彿させる。と同時に、芸術は、度合いの差はあるとしても、剽窃《ひょうせつ》の歴史だと割り切って考えることもできる。私には、チャップリンも、(これまた中西部繋がりで、シカゴ出身の)ディズニーも、二〇世紀のアメリカで活躍したことこそが、彼らが真似した(であろう)作品よりも、歴史により深く名を刻み、評価されている一因であるように思えてならない。だが裏を返せば、ベルトコンベア、アニメーション映画、映画製作、どれをとっても、二〇世紀アメリカ資本主義の条件のもと花開いたのだから、知名度や影響力に差が出るのは当然なのかもしれない。

ディアボーン工場の流れ作業(1965年)

いくら大規模な流れ作業が目の前で繰り広げられ

ているとはいえ、四人が見学した工場の風景には、もちろん『モダン・タイムス』ほどの極端な場面はなかった。労働者らしくない労働者たちも、よくよく観察してみれば、当然ながら十人十色だ。結構な年齢に見える人も多く、女性もたくさん混ざっている。そしてランチタイムも近くなると、パンをかじり、ミルクを飲み、新聞を片手に作業をする人までおり、日本の青年たちは、大いに驚いたのだった。だが、そのような、いくぶんリラックスした光景を目にした後も、宇津木の日記によれば「人間が機械の中に埋没しているという感じ」は、強く残るのだった。

自動車革命がもたらしたライフスタイル

工場から離れると、今度は社屋に案内された。最上階にあるオフィスで、副社長と三〇分ほど会談した。日本経済に興味をもっている様子で、九％近い当時の成長率を驚異的だと語った。反対に私の父は、生産過剰とも思えるような、フォードの自動車生産量に驚かされている。そして「つくりすぎなのではないか」と、副社長に質問した。すると、「消費者も最新モデルや新車が出るたびに乗り換えをするうえ、一家庭で二台の車を持つことが普通になってきているので、心配する必要はない」という答えが返ってきた。

一九七〇年代に本格化するアメリカにおける日本車の普及、そしてそのことがフォードに及ぼす脅威、さらには一九八〇年代半ばに激化するジャパン・バッシングなどについては、そこにいた誰もが知る由もなかった。「昨日の敵は今日の友」ならぬ「明日の敵は今日の友」といったところだろうか、四人はその後も、大学生相手とは思えない丁重なもてなしを受けた。社内を案内してくれたのは、イエール大学出身の若い社員で、おそらく幹部候補なのだろう。社員食堂で、ステーキのランチまでご馳走になっている。その後もヘンリー・フォード博物館ならびに併設するグリーンフィールド・ヴィレッジを見学する手配をしてくれた。

この複合施設は、「ものに刻み込まれた歴史を保存する」という主旨で、ヘンリー・フォードが集めた品々が展示されている。農工具、自動車、飛行機、電信電話、テレビなどが、産業化や機械化にまつわるコレクションという触れ込みで陳列され、ごった煮状態の感があった。だが、圧倒的な歴史的価値がすぐにわかるものもあった。ジョージ・ワシントンが遠征中に使用した簡易ベッド、リンカーンが劇場で暗殺された時に座っていた椅子などだ。四人の訪問以降も、世相や政治事件を反映した品が、この博物館のコレクションに加えられていった。たとえばケネディ大統領がテキサス州ダラスで暗殺された際に乗っていたリンカーン・コンチネンタル、アラバマ州モンゴメリーでバスの座席を白人に譲らず逮捕され、バス・ボイコット運動の展開など公民権運動のきっかけをつくった黒人女性の運動家ローザ・パークスの乗ったバスなどが、現在、展示されている。

広大な敷地には、フォード自身の作業場、エジソンの研究所、ライト兄弟の自転車店なども復元されていた。エジソン、ライト兄弟は、ともに、オハイオ州の出身だ。まさに機械社会到来における、中西部の人材の層の厚さを見せつけられるようだ。自動車、電気、飛行機。どれをとっても、人々の生活を革命的に変え、自由をもたらした発明だ。だが同時に、誰もがその恩恵に与れるわけではないのが、資本主義社会の摂理でもある。たとえば自動車を買うには、元手となるものが必要だし、それを走らせるためには、ガソリンを定期的に給油しなければならない。何をするのにも、それなりの資金がなければ、新しい自由を謳歌することはできないのだ。では、それがない場合、どうするのか。行きつく先は、クレジットだ。

フォードがもたらした自家用自動車革命は、クレジット、つまり実際に金銭をもたなくとも、信用供与でより高い水準の生活をするという、現代のアメリカに継承されるライフスタイルをもつくりだした。というのも、それには自動車燃料のガソリンが深く関わっているからだ。一九三九年、スタンダード・オイル社は、無作為に選んだ二五万人の人々に、紙のカードを送りつけた。ジョン・ロックフェラーの興したスタンダード・オイル社発祥の地は、四人が翌日停車するオハイオ州クリーブランドである。その紙切れは「スタンダード・オイルのガソリンスタンドを利用するなら、後払いでいい」という、提示するだけで「ツケ」を可能にする魔法のカードだった。競争相手もそれを次々と真似し、一九四〇年代になると、アルミ製の、より耐久性のあるクレジットカードが登場する。そしてカードの用途も、給油以外の、たとえばデパートでの買い物などに、ひろがっていったのだった。

自動車王の末裔

だがクレジットで買った物がもたらす自由とは、本当の自由なのだろうか。そしてひとつ買えば、またもうひとつ、もっと良いものが欲しくなるのが、物質社会に生きる人間の、哀しい性である。四人が旅した一九六一年のアメリカでは、「一家につき二台以上の車があることが中流以上」という認識が、広がっていたようだ。旅行の翌年に行なわれた座談会で、宇津木は補足する。実は、二台以上車があるからといって、よくよく話を聞くと、月賦で買っていて、支払いが完了していない場合がほとんどのようだ、と。増尾が続ける。月賦制度が定着しているがために「表面的には生活が豊かだとみえる」が、実際は、そこまで豊かなのか、はなはだ疑問なのだ。

ケネディは一九六一年一月の大統領就任演説で、アメリカが担う自由社会には、「貧しい大多数を救う」使命があると説いた。それができない社会は、「富める少数をも救えない」とも。まさにイギリスの法学者で哲学者、ならびに功利主義の創始者ジェレミー・ベンサムが論ずるところの、「最大多数の最大幸福」を、国レベルで、世界レベルで目ざそうというのだった。だがケネディの演説から六〇年経った現代のアメリカには、縮まるどころか、いまだかつてない巨大な貧富の差が存在している。超富裕層は、課税を回避するさまざまな方法を駆使し、一般人には想像のつかない規模の富を築き、超・超富裕層になる。具体的には、アメリカでもっとも裕福な四〇〇人が、下位の一億五〇〇〇万人の成人すべての資産を合わせた額よりも多い富を所有しているという、封建社会のようなグロテスクな状態だ。

お金がなくても不自由するし、かといって(あくまでも想像だが)、富がありすぎても、それを増やしたり、守ったりすることに束縛され、自由ともいえないだろう。生まれながらの金持ちも、例外ではない。自らの力で、己の情熱や野心に突き動かされて手に入れた富でなく、最初からそれがあった場合、人はどのような自由を、知らずのうちに犠牲にするのだろうか。たとえば、ヘンリー・フォードの末裔たちはどうなのだろう。ヘンリーの一粒種で、フォード社長も務めたエドセル・フォードには、四人の子供がいた。

そのなかでも、一人娘のジョセフィーヌの系統が面白い。ジョセフィーヌ自身は、フォード社の株が生み出す巨額の資産を後ろ盾に、絵画収集に熱意を傾け、それをデトロイト美術館に寄贈するなど、芸術の世界で一目置かれる慈善家として知られた。そのジョセフィーヌの末息子が、フォードの末裔のなかでも一番の変わり者とされる、一九五〇年生まれのアルフレッド・フォードだ。彼は一九七四年、ハレー・クリシュナ（ヒッピーブームやベトナム反戦運動の盛り上がるアメリカで生まれた、インド系宗教団体）の信者になった。アルフレッドの入信は一時の気まぐれではなかったようで、今では団体の寄付活動や布教活動において、重鎮となっている。と同時に彼は、従兄弟が社長を務めるフォード社の社外取締役でもあり、その社会的、経済的立場を、功利主義的に利用することに、熱心なようだ。

母のジョセフィーヌが芸術蒐集《しゅうしゅう》の世界に居場所を見つけたように、アルフレッドも、深遠な精神世界に、自分の生きる道を見出した。それは名前と遺産にすがりつき、そのおこぼれに与ろうと下心をもって近づいてくる輩に囲まれて過ごす人生よりも、より幸せな選択だったのではないだろうか。独自の選択をしたということが、何よりもその人の自由意志の現れであって、私には、この白髪のヒッピーを「物好き」と決めつけて、笑う気にはとうていなれない。そして彼の曽祖父のヘンリー・フォードが、厳格な長老派プロテスタント教会の信者であり、ナチズムにも繋がる反ユダヤ主義者であったことも、忘れてはならないだろう。そのような喜ばしくない遺産は、理想家肌の青年であったであろうアルフレッドにとり、想像を絶する重荷だったにちがいない。一九七〇年代、彼がよりグローバルで平和的、かつ物質に依存しない、個人の幸せを前面に押し出す教義に傾倒した最大の理由も、そのあたりにあるような気がする。

イライザの受難

地下鉄道のネットワーク

四人はフォード社の厚意で、なんとも有意義に一日を過ごせたので、その勢いに乗って荷造りを済ませ、午前二時半の夜行バスでデトロイトを去ることにした。エリー湖の南岸を回ってさらに北上し、バッファローでナイアガラの滝を見物した後、東海岸の要所であるボストンとニューヨークに向かう。クリーブランドは、その道中における、ただの通過点のはずだったが、グレイハウンド社の手違いでその後の切符の手配ができておらず、四時間ほどの足止めを喰らった（乗り放題切符は、回数券の冊子のようなシステムで、ひとつを使い切ると、次の冊子を受け取れる仕組みになっていた）。記されているのは待合所で居眠りしたことぐらいだが、父は縁あって、二年後、この街に舞い戻ってくる。クリーブランドから車で西に四〇分ほどのオバリン大学に一年間、留学するためだった。

非常にリベラルな校風で知られるオバリンは、一八三三年に設立された、世界で初めての男女共学大学である。イエールとプリンストンが共学になったのは一九六九年、ダートマスが一九七二年ということを考えると、それがいかに画期的だったかがわかる。そして奴隷解放宣言以前、オハイオ川を渡って南部から逃れてきた黒人奴隷を、この大学で匿っていた時期もある（有色人種の入学は、一八三五年から始まっていた）。そのような歴史からもわかるが、オハイオは中西部とはいえ、「南北」で考えると、奴隷制が廃止されている、れっきとした「北部」で、人間としての尊厳や自由を願う南部の奴隷にとっては、悲願の土地だった。だが逃亡は常に命懸けで、多くの場合、「地下鉄道」(Underground Railroad)による、組織的な協力が不可欠だった。それは逃亡奴隷を南から北へ送り届ける秘密のネットワークで、ハリエット・タブマンのように、自ら北への脱出に成功した元奴隷たちが、クエーカー教徒を始め奴隷制廃止を求める白人有志の協力を得て、構築したものだった。

家族ぐるみで「地下鉄道」を支援していた東部出身の白人女性ハリエット・ビーチャー・ストウは、一八五二年に出版した『アンクル・トムの小屋』で、奴隷制の残酷さを糾弾した。フィクションとはいえ、そこに描かれる世界は事実にもとづいている。ストウは一八三〇年代、神学者で牧師の父親の仕事の関係で、オハイオ州シンシナティに住んでいた。その頃から、逃亡奴隷の苦境を見聞きしていたのだ。

小説の主人公のひとり、若い奴隷女性のイライザの話にも、実際のモデルがいた。話のなかで、イライザは幼い息子とともに、南北を隔てるメイソン＝ディクソン線（そしてそれを象徴するオハイオ川）を渡り、命からがら北部へ逃げ切る。そしてオハイオ州で夫を待ち、やっとのことで落ち合うと、さらに北へと向かうのだった。北部にも、奴隷主に「所有物」を送り返して一儲けしようという、冷酷な「奴隷狩り」が徘徊していたからだ。イライザと家族は国境を越えてさらに安全なカナダに逃げ、そこからフランスへと渡り、最終的には、黒人が黒人を治める国、リベリアに、安住の地を見つけるのだった。

追っ手の目に触れぬよう、常に怯えながら暮らす逃走者の面影を、父たちは見ている。深夜、デトロイトで夜行バスに乗るために荷物をチェックインしていると、一人の黒人青年が声をかけてきた。最初は、少し酒気を帯びているような気配と、周囲を気にしているようなおどおどした態度が引っかかり、怪しい人物かと思ったのだが、話していくうちに打ち解けていった。GIとして朝鮮半島や日本にも滞在したことがあり、懐かしくなって話しかけたようだ。そればかりでない。現在はウェイン州立大学の四年生だが、奇妙な縁で、前月、平和部隊の試験に合格したという。年が明ければ、当時アフリカ大陸で唯一、平和部隊を受け入れていた「ハガキ事件」の国、ナイジェリアへの派遣も決まっていた。そして「話がわかる」と思ったのか、あるいは酔った勢いもあったのか、黒人差別への憤りを、日本人たちに滔々と語り始めた。南部の州には、いまだにあからさまな差別があり、白人といざこざがあれば、必ず黒人が悪いことになると嘆いた。三〇分後にバスが出発する頃には、五人はすっかり意気投合し、バスが動き出すと、彼は手を振って見送ってくれた。

国境を越えて、カナダへ

この深夜のバスターミナルの出会いから一日半後、一〇月二七日、四人はナイアガラの滝を見物していた。バッファローでタクシーを雇って、アメリカ滝よりも壮観だという、カナダ側の、馬蹄の形をしたホースシュー滝に出かけたのだ。さらなる安全と自由を求めて奴隷が目ざしたアメリカとカナダの国境を、一行の車は、いとも簡単に越えた。税関で係員がパスポートにサインするだけで、「するりと抜ける」といった感じだった。だが国が変わったことは、すぐにわかった。何せアメリカと違って、紙屑などのゴミが路上に捨てられていないのだ。ポイ捨てには、高額の罰金が科せられるという。

そして四人には確認できなかっただろうが、「安全」の概念も、国境を越えた途端に変わる。突撃取材で構成するドキュメンタリーで知られる社会派映画監督のマイケル・ムーアは、二〇〇二年の作品『ボウリング・フォー・コロンバイン』で、カナダとアメリカの「安全」観の違いを、鮮明に描き出した。「カナダ人には家の鍵をかける人が少ない」というのが、その最たる例だ。鍵をかける習慣がないのは、何も在宅時だけでなく、ちょっとした外出時でもそうだという。さらにムーアは、カナダの銃器所持率が、アメリカよりも高いにもかかわらず、銃関連の殺人が極端に少ない点も指摘する。カナダで銃といえば、狩猟用に使うもので、他人から自らの命を守ったり、他人の命を奪うための対人武器ではない。ましてや「自由」の象徴でもない。カナダ人にとって、より大切な自由とは、拳銃を持つ自由よりも、人を疑わずに、家を施錠せずに生きられる自由なのだ。この映画の主題は、一九九九年、コロラド州で二名のティーンエージャーが引き起こした、コロンバイン高校銃乱射事件だ。アメリカと銃の歪んだ関係が、地続きの、出入りの簡単にできる隣国カナダとのコントラストで、より強烈に浮き彫りにされる。

ところで一行の、ナイアガラの滝そのものの感想はどうだったのか。大きさは期待を下回っているというのが、宇津木の率直な印象だったが、水煙の激しさに圧倒されたのも事実だった。水圧も相当なものだ。無謀にもそんな滝を、樽で下ろうとした女性がいた。四人の旅行から遡ることちょうど六〇年、一九〇一年、一〇月二四日、アメリカ人の学校教師アニー・エドソン・テイラーが、クッションを敷きつめたピクルスの樽に自らを詰め込み、カナダ側のホースシュー滝に運命を賭したのだ。それはテイラーの六三歳の誕生日だった(周囲にはまだ四〇代だと偽っていたが)。結果は、驚異の無事生還。ナイアガラの滝を樽で生き延びた、初めての人物となった。

なぜそんなことをしたのか。老後の金銭不安や功名心など、理由には諸説ある。だがおそらく生まれもっての極端なスリルを渇望する冒険心や、夫と子供に先立たれたために身寄りがないという捨て鉢の心境、神がかり的な自信などの、複合的心理要因があったのだと考えられる。それらが交錯し、彼女に樽下りを決意させたのではないか。はっきりしているのは、樽下りの成功直後は、それなりに騒がれて、講演依頼などもあったが、程なく飽きられ、結局大した財産も築けなかったことだ。

なんとも割に合わない大博打のように思える。人間として生きるため、そしてより安全な生活のために、南部からカナダを目ざした『アンクル・トムの小屋』のイライザ、そしてそのモデルになった多くの奴隷たちが、もしもテイラーの樽下りの試みを知ったら、正気の沙汰ではないと呆れたことだろう。だがそんなテイラーと逃亡奴隷たちにも、共通点がある。皆、今いる場所では獲得できない何かを求めて国境を越えた、いわば「国際人」である点だ。ここから先の四人の旅も、出会う人々、訪れる場所など、俄然「国際的」になってくる。そして、そこここに、私自身の経験に重なる情景も、多くみえてくる。

ボストンで、国際関係を考える

アメリカの問題は「医療制度」

ナイアガラの滝の見物が終われば、もうすることはない。一行は同日の午後五時には夜行バスに飛び乗った。翌日の午前四時半に、無事、ピューリタンの築いた街、ボストンに到着する。古都にふさわしく、宿泊先は、一八五一年にアメリカで初めて創設された、由緒あるＹＭＣＡだった。チェックインするのには早すぎるということで、宇津木と増尾は、少し街を歩いてみた。まだ一〇月だが、通りの寒暖計では摂氏二度を示している。歴史の重みの感じられる街並みを期待していたが、第一印象は、全体的に薄汚い。古いのだから、多少の汚なさは仕方ないとは思っても、通りがゴミ屑だらけなのには、前日のカナダとの比較もありがっかりした。無事にチェックインを済ませた後、街に出て本を購入したりする。だがその日は何よりも、四人揃って勉強に励んだ。というのも、翌日には、アメリカの大学院生たちとのディスカッションを控えていたからだ。これは細野以外の三人の高校の先輩で、ちょうどその年にハーバードで博士号を取得し、教壇に立っていた歴史家の入江昭の助力によるものだった。

翌一〇月二九日、日曜日は、ちょうど夏時間が終わったところで、時計が一時間遅くなった。地域ごとに時差があることは、大陸横断の旅で身をもって感じていたが、夏時間の終了についてはまったく知らず、四人はフライングスタートを切る。ずいぶんと早く、入江との待ち合わせ場所、ハーバード・スクエアに到着した。間違いに気づき、時間潰しに大学のキャンパスをぶらつくことにする。すると四人は、坊主頭の日本人男性に声をかけられた。チャールズ川を隔てたマサチューセッツ工科大学(MIT)に、心電図の研究に来ているという。専門分野と、姓が「岡島」という手がかりで調べてみると、これはどうも名古屋保健衛生大学教授だった岡島光治らしい。岡島は、四人に滞在の印象を問われ、いかにもアメリカの医学は、設備や研究の面でトップクラスであることを認めた。だが問題は医療制度だ。医者の予約を取るのに時間がかかるし、診てもらえても医療費が高いので、病気が治っても、金銭面で再起不能になることがあるとのこと。臨床の面で、とくに貧乏人には苦労が多い。この点、日本のほうが、実はずっと恵まれているのだという意見だった。

宇津木の日記でこの箇所を読み進めている時、マイケル・ムーア監督の手になる別の作品を思い出した。アメリカの医療問題、それも健康保険と製薬業界に焦点を当てた二〇〇七年のドキュメンタリー『シッコ』だ。その中に登場するアメリカ人男性は、二本の指先を事故で切り落としてしまった経験を語る。保険でカバーされない高額の接続手術をすることになったが、病院は彼に難しい選択を迫る。六万ドルを払って中指を取りつけるか、それとも一万二〇〇〇ドルで薬指の再建を選ぶか。ムーアは、自分だったらおそらく中指だろうと考えるが、ロマンチストの男性が選んだのは、結婚指輪をはめる薬指だった。薬指のほうが、はるかに手術代が安かったことも影響しただろう。だが、このような事例がいくらあっても、アメリカで国民健康保険の義務化が実現される気配はない。オバマ大統領が熱意を注いだ医療保険制度(通称オバマケア)改革が難航し、その見直しがトランプ政権の目玉になったひとつの大きな理由には、「保険に加入するもしないも、個人の自由」という考えが根強いことがある。そしてそんな「自由」が、より社会医療保険を必要としている中低所得層に支持されるのが、なんとも皮肉な話だ。

フレッチャー・スクールでのディスカッション

四人が岡島教授とおしゃべりをしているあいだに、約束の時間となった。午後一時半、入江と落ち合い、家に連れていってもらう。そこで当時、フレッチャー・スクールで国際政治学の博士号を目ざしていた村上吉男が合流する。村上は、慶應の経済学部を一九六〇年に卒業し、入江の留学を可能にしたのと同じ、ジョセフ・グルー基金奨学生として、ボストンにやって来た(ジョセフ・グルーは、日米開戦時の駐日米国大使で、妻アリス・ペリー・グルーは、マシュー・ペリー提督の親戚筋だった)。村上は博士号取得の後、一九六五年に朝日新聞社に入社し、国際畑でジャーナリストとしての道を邁進することになる。

フレッチャー・スクールは、一九三三年創立の、アメリカでもっとも古い、国際関係を専門とする専門大学院のひとつで、当時は、ハーバード大学とタフツ大学が共同で運営していた（その後、タフツのみの運営となる）。四人は村上の案内で、スクールの図書館を見学した後、二名の女性を含む七名の大学院生とのディスカッションに招かれた。いよいよ、前日の「勉強」の成果を発揮する場である。約二時間にわたり、海外援助や、平和部隊について意見交換をした。参加者のなかには、「アメリカの後進国援助には、格差を縮めるというよりも、自らの陣営に取り入れようとする政治目的がある」と断言する人もいた。あまりにもストレートな物言いで驚いたが、それはそれで立派だと、日本人たちは感心した。すると「それは言い過ぎ」という横槍が入る。アメリカには、世界の人々の生活水準を引き上げようとする純粋な気持ちもある。そして長期的にみれば、地域社会の「自由」や「民主主義」を徹底することになり、アメリカにとっても、援助を受ける側にとっても、海外援助は有意義なことだというのだ。

平和部隊に関しても、スタンフォードの学部生とは違い、さすがは国際関係を専門に学ぶ大学院生、穿った見方も多く示された。部隊設立の動機が、崇高な理想だったとは信じておらず、前年の大統領選で、ケネディがニクソンに勝たんがために前面に押し出したプログラムだというのが大方の意見だった（I章で触れたように、平和部隊のアイディアは、民主党内でケネディと大統領候補の座を争ったヒューバート・ハンフリーが提出した、一九五七年の法案に基づいている。ケネディが華々しくその構想を発表したのは、大統領選キャンペーンの盛り上がる一九六〇年一〇月、ミシガン大学で行なった演説中だ)。一方で、実際に平和部隊に参加しようとする若者たちが、理想主義に突き動かされていることは、誰も否定しなかった。そして部隊の意義についても、一味違う意見が出た。そもそもアメリカは、従来から専門技術者を海外に送り出しているので、その点で新しい試みではない。現地の住民と、技術者の仲介ができる人間を、平和部隊が提供することが望ましいのだという。

　この日のディスカッションについての父の感想が、翌年に行なわれた座談会の記録に残されている。それによると、大学院生の政治的関心の高さだけでなく、意見の押し出し方や、論じ方に、強烈な印象を受けていることがわかる。たとえば海外援助の話をするにしても、日本の大学では、「低開発国援助」とは、あるいは「後進国援助」とは何ぞや、といった「一般論をきく」のが常だが、アメリカでは徹底的に、ケース・スタディーをしている。したがって、後進国援助の問題を論ずる際にも「一九五九年の海外援助はこれで、これだけの金がガ《マ》ーナ《マ》ーに行った。あるいはナイジェリアに行って、どういうふうに使われている」といったふうに、実に具体的に、段階的に議論を展開していくのだ。父はこの経験で、一般論や印象論では太刀打ちできない、データをもってして説得する弁論の効力を、肌で感じとったのである。宇津木も謙虚に日記に記す。「とに角今日は自分の不勉強を知らされ、発奮させられた一日だった」

　圧倒されつつも実り多かったディスカッションを終えて、村上のアパートで内容をまとめた後に、再び一行は入江宅にお邪魔している。そして光子夫人のカレーライスをご馳走になり、まさかアメリカで味わうとは思っていなかった福神漬にも感動する。心強い助っ人の村上の協力も含め、夕食にいたるまで、文字どおりすべてを入江にお膳立てしてもらったことになる。そのような面倒見の良さも、入江を後に、アメリカ歴史学会会長に成らしめたのだと納得してしまう。私自身も、この四人の旅から四〇年ほど後、駆け出しの研究者であった頃に入江先生(敬称を略すのは、この場合、大変違和感がある)の優しさに、触れている。

おだて上手のキッシンジャー

翌日一〇月三〇日の朝、旅人たちは細野の父、細野軍治からの電話で起こされた。午前二時に、ワシントンDCに到着したばかりだという。事務的な連絡とともに、彼は当時三八歳の国際政治学者ヘンリー・キッシンジャーに会いに行くことを強く勧めた。ここで私が少し意外に思ったのは、キッシンジャーが、ごく一時期、ケネディ政権のインサイダーだったという事実である。共和党のネルソン・ロックフェラーとも非常に近い関係にあり、後にニクソンの国務長官として冷戦外交に君臨したことばかりが頭にあったが、一九六一年の一一月まで、キッシンジャーはケネディ大統領の外交政策顧問として、週に数日、マサチューセッツ州ケンブリッジからワシントンDCに通う生活をしていたのだった。ケネディ政権による現役ハーバード研究者の引き抜きは多く、ライシャワー駐日大使や、インド大使となったジョン・ガルブレイスもそうだった。

その頃のアメリカ外交政策の一大懸念といえば、東西分断され、壁が建てられていくベルリンだった。ドイツからナチスの迫害を逃れて、一家でアメリカに渡ったキッシンジャーは、自分こそが対ベルリン政策を主導するに相応しいと考えていたにちがいない。だが大統領補佐官のマクジョージ・バンディの牽制があり、その願いは叶わなかった(そもそもキッシンジャーが、フルタイムで政権のアドバイザーになることを阻止したのも、バンディだったとされている)。フレデリック・ケンプは著書『ベルリン1961――ケネディ、フルシチョフ、そして地球上もっとも危険な場所』(*Berlin 1961: Kennedy, Khrushchev, and the Most Dangerous Place on Earth* 未邦訳)で、その理由を、バンディの階級意識と、キッシンジャーの性格上の問題に見つける。ハーバードの芸術科学部長で、大学でもすでにキッシンジャーのボスだったバンディは、ボストンの上流階級出身だった。ドイツ訛りのユダヤ系難民キッシンジャーの稀有な才能を認めながらも、社会的にはいささか見下していた部分もあったようだ。また野心家キッシンジャーのあからさまなお世辞戦略も、率直さの欠如として受け止め、警戒していたらしい。

バンディは騙されなかったが、キッシンジャーがかなりのお世辞上手だということは、確かなようだ。私の父も、また夫も、国際会合で複数回キッシンジャーと遭遇している。夫に言わせれば、キッシンジャーは相手がどんな人でも、会話する際には非常に謙虚に耳を傾け、おべっかを使うことを忘れない。なので誰もが「自分がとても重要な人」のような気分になってしまうのだという。もちろんその裏には、ニクソン政権の冷戦外交で存分に発揮した、冷酷さや裏切り、計算高さ、嘘、矛盾などが、十分見え隠れしているはずなのだが。

とにかく細野軍治に指示をされたとおり、四人は「ケネディのブレーン」だというキッシンジャーに挨拶をするべく、ハーバード大学内のオフィスを訪ねた。だが、あいにく不在だった。

翌月にはケネディ政権の顧問を降りるので、その時期のキッシンジャーの身辺は、何かとゴタゴタしていたのではないだろうか。そのような状況で面会できていたとしても、あまり目的のはっきりとしない、日本からの大学生の突然の訪問が歓迎されたかわからない。だが細野軍治は、そのような体当たりのネットワークづくりが、非常に重要だと考えていたようだ。そしておべっか使いのキッシンジャーのことなので、あるいは四人も、非常に良い気分で面会を終えていた可能性はもちろんある。

入江はそのような教授訪問よりも、かぎられた時間をつかって、若者同士が意見交換をするほうが、より有意義だと考えていたようだ。前日に続き、その日の午後も、色々と計画してくれていた。まず連れて行かれたのは、有馬龍夫の寮だった。有馬も、入江や父を含めた三人のように成蹊出身だったが、高校の途中で奨学金を受け、ニューハンプシャー州にある寄宿制の名門進学校、セント・ポールズに留学している。ハーバードで政治学の学士、博士号を取得し、講師として残ったが、一九六二年には学究の世界を去り外務省に入省、外交の世界で活躍することになる。

有馬の寮でも、前もって三名の寮生とのディスカッションの場が設けられていた。そのうちの一人は、ハーバードの誇る大学新聞「ハーバード・クリムゾン」の編集長だった。彼らとの議論では東アジアにおける冷戦、とくに中国の脅威が話題となり、前年の安保闘争に関する質問も出たという。つくづく国際問題といえば、何をとっても冷戦構造抜きでは語れない時代だったのだ。夕食は、また違う学生寮の食堂に連れて行ってもらい、一ドルで食べ放題の食事にありつき、その後「ハーバード・クリムゾン」の編集室を訪ねた。夜九時過ぎになって、地下鉄でハンティントン通りの宿に帰り、密度の高いボストンでの行程を無事終了したのである。

こうして、この街での四人の経験を振り返ってみると、国際関係、国際政治、国際問題、国際人など、やたらと「国際」という言葉がつきまとう。なぜだろうか。入江、村上、有馬のように、その経歴そのものが「国際的」である人物はもちろんのこと、四人が言葉を交わした人々から、自国だけではなく、より広い枠組みで物事を捉えようとする気概が感じられるのだ。そもそも「国際＝international」という言葉は、哲学者ベンサムが一七八九年、『道徳と立法の諸原理序説』で使ったのが最初とされている。「国際法＝international law」という概念を説明するために、新しい用語が必要だと考えたからだ。

ベンサムは、国内法とは、個別の社会特有の、ある一定の慣習やしきたりの上にあってこそ成り立つ法律であると考えた。反対に国際法とは、より普遍的で、固有の社会に縛られない価値観を、複数の国家が共有することによって生まれる法律だ。ベンサムの国際法解釈をもって「国際人」とは何かを考えてみると、それは、さまざまな社会の掟や慣わしの違いを把握しつつ、それらを超えた共通点を見抜き、自らの立つ基盤をも、より広く築ける人のことを指すのだろうか。ほぼ成り行きに任せてきた人生だと思っていたが、多分、私自身、そんな人になりたい気持ちに導かれ、進んでは迷い、走っては転ぶことを繰り返すのかと、考えたりする。

ニューヨーク、ニューヨーク

一〇月三一日。九時にボストンを出発し、午後一時には、一行を乗せたバスが、コネチカット州ニューヘイブンに到着する。ニューヨークの前に、さっとイエール大学を訪問するためだ。ここには一行がその夏に日本で会っていた、ヘンリー・チャイルズという、日本学科に籍を置く四年生がいた。バスターミナルから電話をすると、すぐにタクシーで駆けつけてくれた。ハーバードでもそうだったが、組織の中に、面倒見の良い知りあいがいることは大変助かる。六時間足らずの足早の訪問だったが、ヘンリーの生活空間に入り込み、友人や教授を紹介され、他の学生たちと同じ食事をするという貴重な経験ができた。なかでも注目すべきは、日系の政治学者チトシ・ヤナガに会っていることだ。彼が戦争中、諜報戦のための日本語学兵教育プログラムに貢献し、戦後も日本研究の分野で活躍する人材育成に果たした役割については、後のVI章で、また触れることにする。

この奇特な友人ヘンリーに、実は私も、一度だけ会っている。当時プリンストン大学一年生の私は、まだニューヨークに駐在していた父と一緒に、チャイルズ夫妻のコネチカット州リッチフィールドの家に招かれて、感謝祭《サンクスギビング》のもてなしを受けた。その頃は写真家として活動しており、彼が大学で日本語を勉強したことさえ把握していなかった。覚えているのは、イギリス紳士然とした服装と、立居振る舞いだ。それもそのはずで、ニューヨーク生まれで、ニューヨーク育ちだが、親の仕事の関係でイギリスとも縁があり、さらに元をたどれば、カリブ海でサトウキビ栽培やラム酒製造をしていたイギリス人の血筋なのだという。今回、宇津木の日記を読んで、初めてこの父の「古い友人」が、日本の青年たちが再会したヘンリーと同一人物だと気がついた。彼は根っからのクリエーターなのだろう。現在は絵を描いたり、小説を執筆したりと、創作の分野をひろげているとのことで、一体どんなものを書いているのかと調べてみると、意外にも、悪魔だとか魔女だとかを題材にしたオカルトタッチのものが多い。それを考えると、一九六一年のハロウィーンの四人のイエール訪問が、なんとなく因縁めいて感じられるから不思議だ。何はともあれ、ヘンリーのおかげで充実した半日を過ごさせてもらい、最後は慌ててニューヨーク行きのバスに飛び乗ったのだった。

二時間後、一行がニューヨークに到着したのは、夜の九時。実はこの街でも、ヘンリーからみのもてなしは続いていた。バスターミナルから四人が向かった宿泊先は、ヘンリーの両親であるT・W・チャイルズ夫妻のマンションだった。そこで、今までのバス泊やYMCAとは比べ物にならない、快適かつ心温まる滞在が、待っていた。ミスター・チャイルズは、その頃、鉄鋼会社アメリカン・メタル・クライマックスの取締役副社長を務めていた。同社社長のウォルター・ホックチャイルド氏が、外交問題評議会の主要メンバーであり、細野軍治の知りあいだったこともあり、ヘンリーの日本行きや、一行のチャイルズ邸滞在が実現したようだ。チャイルズ夫妻のマンションは五番街の中でも高級住宅地にあたるセントラルパーク沿いにあり、一二階の部屋からは、公園が一望できた。そして「家族のように扱うから、気兼ねせずに、やりたいことをやって」と言って、五部屋のうち三部屋を四人のために提供してくれた。夫妻にはヘンリーと、もう二人の息子がいたが、皆家を出たので、「空の巣」状態が、少し淋しかったのかもしれない。息子たちと同じ年頃の青年たちの訪問を、心底歓迎してくれているようで、しばらく皆で雑談を楽しんだ。その晩、四人は久しぶりにシャワーでなく浴槽で入浴し、旅の疲れを癒やしたのだった。

ニューヨークで一行は、四泊している。それは短すぎると感じるほどの、魔法にかけられた時間だった。まず鮮烈な印象を受けたのは、チャイルズ夫妻のライフスタイルだった。ミスター・チャイルズは、朝になると、鉄板が埋め込まれたスタイリッシュなキッチンカウンターで、カリカリのベーコンと、型に落として焼く、ほぼ完璧に丸い目玉焼きを焼いてくれる。ある夜は、ロックフェラー・センターの超高層ビル六五階にある「レインボー・ルーム」で、音楽の生演奏を聴きながら豪華なディナーをご馳走になり、また別の日にはプライベートクラブでの友人とのランチにも招いてくれたりと、当時のエリート・ニューヨーカーの生活を、存分に実地体験させてくれた。細野の記録によれば、たとえばレインボー・ルームのトイレを使う際も、ミスター・チャイルズがそっと付き添い、金欠の青年たちに代わって、専属の清掃係にお決まりのチップを渡してくれた。一貫して、スマートな面倒見ぶりだった。

そのほかにも四人は、メトロポリタン美術館や、ブロードウェイ、そして後にジョン・F・ケネディ国際空港と改称される、ニューヨーク国際空港にも足を延ばしている。遊んでばかりいたわけではなく、コロンビア大学を訪問し、学生に会い、国連創設の立役者の一人でもあったグレイソン・カーク学長とも面会している。四人はコロンビアのキャンパスに、オープンな好印象をもったようだ。だがそこは一九六八年、激しい大学紛争の舞台になる。そしてカーク学長は、紛争の矢面に立ったかたちで辞任するのだ。

自分を「リセット」する場所

旅人たちにとって、刺激的なイベントや、見るものが目白押しだったニューヨーク滞在だが、それと比例して、感ずることも多かったようだ。とくに最後の日、自分たちだけでアップタウンをぶらついた際には、黒人の人たちが多いこと、街が汚いことに驚いている。「窓から老婆が放心したように空を眺め、街は悪臭が漂う様な気がする」と宇津木が記す。それまでは、摩天楼の煌びやかな面ばかりを見ていたが、目前にある貧しさに、はっとさせられた瞬間だった。その日の午後には、当時住友銀行頭取だった堀田の父、堀田庄三の依頼があったのか、銀行のニューヨーク支店の好意で、さらに北のハーレムも車内から見学している。表通りしか見なかったこともあり、ミッドタウンやアップタウンに比べても綺麗なくらいの印象で、拍子抜けしている。確かにハーレムには、邦人が行方不明になったりと、その頃からすでに危険な印象があった。それでもそこには、まだまだ一九二〇年代、三〇年代の文化的最盛期の面影があった。もとはといえばユダヤ系の富裕層によって建てられた地域で、街並みも、戦前からの美しいビルが多数残っており、先に見た貧民街とは別格の、歴史ある雰囲気を漂わせていた。

ニューヨークの日々を総括するに相応しく、その晩は、ゆったりとミセス・チャイルズと時間を過ごした。カンザスへ日帰り出張をしていたミスター・チャイルズを待ちながら、夫人の好きなヤンキースのこと、人種問題、そして自分たちの将来の夢について、それぞれが感じたことを語った。人種問題に関して、夫人は「非常に難しい問題」としたものの、教育や機会の均等化を徹底すれば解決できるだろうと、希望的意見を述べている。遅くまで話し続けたが、ミスター・チャイルズが帰宅したところで挨拶を済ませ、就寝となった。

この街で、四人それぞれが思ったことや、夢見たことは異なっただろうが、父の場合はどうだったのだろう。この一九六一年の旅で訪れたさまざまな場所のなかでも、父にとってニューヨークは、ことさら縁のある街となった。大学卒業後、父は社会人ラグビーの道には進まずに住友銀行に入行するのだが、アメリカに引き戻されるように、一九六三年から六四年までオバリン大学に留学する。バブル時代には、日系企業からの派遣留学が盛んになるが、当時はまだ、日本人の社会人留学は稀だったという。そこで経済学や英語速読など、興味あるクラスをとり、週末にはギターを携えた学生たちと野外でジョーン・バエズのフォークソングを歌うような、その時代ならではの、異文化集中体験をした。充実した日々ではあったが、父が最終的に目ざしていたのは、ニューヨークだった。そして、無事コロンビア大学のビジネススクールに合格するのだが「後二年間、都合三年間の銀行休職は長すぎる」ということで、結局、進学を諦めたのだった。一九六四年の夏、父はニューヨークのフラッシングメドウズで開催されていた世界万博でアルバイトをし、一時のニューヨーク生活を味わった後、帰国の途についたのである。

その後も出張は頻繁にあったが、父とニューヨークの絆がより強固になるのは、一九八七年から住友銀行ニューヨーク支店長として、さらに二年後からはアメリカ大陸、ヨーロッパの総括責任者として、ニューヨークに駐在した五年間だろう。父の転勤時、姉はすでに日本で大学進学を決めていたために住むことはなかったが、高校一年生だった私と、まだ小学生だった弟にとっても、それが人生の岐路になったことは間違いない。そして大学で英文学を教えていた母も、この時期に初めて専業主婦生活を、それも異国で経験したのである。なのでアメリカ、とくにニューヨークが、父だけでなく、我々家族にとって「自分をリセットする場所」、「新世界」となったのは、確かだ。

フィッツジェラルドの分身

一九六一年一一月四日、後ろ髪を引かれるようにして、四人がニューヨークを旅立つ朝が来た（深夜のおしゃべりのせいで自力では起きられず、六時にミセス・チャイルズに起こしてもらっている）。夫妻は休日の土曜日だというのに、彼らのために朝食を準備し、記念の銅貨を贈呈してくれた。そして再びバスの旅が始まる。次の宿泊地は、首都ワシントンDCだ。だが午前八時にターミナルを出発し、九時半に下車したのは、ニュージャージー州プリンストンだった。できるだけ色々な大学を見ておきたいという思いもあり、ここで数時間のストップを入れたのだ。そしてなんとも都合よく、プリンストンにはヘンリーの弟でチャイルズ夫妻の次男ウィリアムが在学中だった。だが寝坊をしたのか、約束の迎えがまったく来ない。

この「すっぽかしエピソード」を宇津木の日記で知って、私は正直、ほっとした。ウィリアム・チャイルズは、その後プリンストンで西洋美術史の教授となり、学生時代、私も講義を受けたことがある。そしてその際は、私が授業をすっぽかすこともあった。悪いことをしたと、その後もどこかでやましさがあったのだが、教授にも学生時代、そのような前科があったということで、随分と気が楽になった。

四人は、ウィリアムに会えずじまいで仕方がないので、とりあえずキャンパスと周辺を見物することにした。宇津木と細野は、ここでアメリカ初の散髪を済ませている。まずまず満足できる仕上がりだったようだが、なんとも素早い手捌《てさば》きで、時間はまだまだ余っている。四人はカフェテリアで一服し、大学の売店で宇津木が冷やかし半分、「プレイボーイ」の一九六二年カレンダーを購入している。プリンストンが男子校だった時代を反映するエピソードだ。それでもバスの出発まで間があるので、キャンパスをぶらぶらしていると、ひとりの青年に日本語で話しかけられた。建築家、または建築学専攻の大学院生で、日本語が上手なのはミシガン大学で二年間勉強したから、ということだった。日本の伝統建築に興味があり、近い将来、京都や奈良に行きたいという。日本政府が、文明国の証として、シカゴ万博会場に日本館を建設したのが一八九三年。青年の熱意は、日本の国を挙げての渾身の努力が、いかにも直接的なかたちで実を結んだ例といえよう。

青年の名前は宇津木や細野の日記には記されておらず、それまでの経歴や、その後の人生はわからない。だがこの話は、ある一定の、人生のパターンを想起させる。アメリカ中西部出身の才能ある若者が、中西部から東海岸へ、そして東海岸から世界へ旅立つというコースだ。作家のF・スコット・フィッツジェラルドも、例外ではない。彼はミネソタ州セントポールに生まれ、プリンストンに学び、ニューヨーク、そしてパリへ羽ばたいた。

ジャズ・エイジの真っ只中、一九二五年に出版され、今ではアメリカ文学の古典となった『偉大なるギャツビー』の語り手、ニック・キャラウェイは、そんな中西部人フィッツジェラルドの分身だ。ミネソタ出身のニックはイエールを卒業し、第一次大戦から復員すると、ニューヨークに落ち着く。成金富豪ギャツビーの象徴する、華美な富や虚栄、不道徳と隣り合わせの生活を送りながらも、完全には馴染めない。ニックは、東部の富裕層社会を漂流する、純粋で、実直な中西部の田舎者として描かれる。ニューヨークの生活に惹かれながらも、最終的には、より伝統的で道徳的な価値観を求め、ミネソタに戻る決意をする。

だが作家フィッツジェラルドは、ミネソタに戻る道を選ばなかった。早すぎた成功は次作へのプレッシャーを増大させ、過度の喫煙とアルコール依存を招いた。心筋症を病み、一九四〇年一〇月、映画脚本家としてキャリアの再生を図ったハリウッドで、帰らぬ人となった。四四歳だった。

おそらくフィッツジェラルドのなかには、地に足のついた中西部の純朴青年ニックだけでなく、欲望を追求して自己破壊の道をたどった、東海岸の都会人ギャツビーも、共存していたのにちがいない。そしてニックとギャツビーの、対照的な生き様や価値観が象徴するのは、他でもない、アメリカそのものだ。どちらかが欠けていても、それは完全ではない。だからこそ余計に魅力的で、付きあいにくいのである。

第Ⅳ章　一滴の血

都へ

「建国の都」の実際は

プリンストンで時間を持て余した四人は、午後二時四五分、ようやくバスに乗り込んだ。だがローカルバスだったために、ペンシルヴェニア州フィラデルフィアで、再度、最終目的地ワシントンDC行きの急行バスに乗り換える必要があった。

フィラデルフィアはワシントンDCが建設される間の一七九〇年から一八〇〇年にかけて、アメリカ合衆国の臨時首都だった。その歴史は古く、一六八二年に、友愛を説くクエーカー教徒によって興された。一八世紀半ばから、ニューヨークに追い抜かれる一九世紀前半まで、北米最大の貿易都市でもあった。だが商業以上に重要なのは、この街が合衆国理念の明瞭化において果たした、大きな役割だろう。一七七五年から一七八三年まで続いたアメリカ独立戦争中、ここで、自治を目ざす英植民地一三州の代表による大陸会議が開かれ、独立宣言が起草されたのだ。まさに「建国の都」なのである。残念ながら四人のバスの待ち時間は一時間だけで、見物はできなかったが、これから訪れる首都では、フィラデルフィアで生まれた合衆国の建国理想に、たっぷりと触れることになる。

南下するバスのなかは暑く、苦しい数時間を過ごした後に、ワシントンDC北西に位置するバスターミナルに到着した。夜の九時を過ぎていた。不運なことに父の荷物だけが出てこない。係の男性は「不親切でトボけた親父」と宇津木が怒って日記に記録したほどで、まったく話にならない。遅くなるので、とりあえず翌朝交渉することにして、ホステルに向かう。父にとっては、とんだ心配事から始まった首都滞在だった。さらにここのＹＭＣＡは汚く、極めつけはトイレにも、シャワーにも、ドアがついていない。だが他の宿とは違い、オートマットが完備されているのは珍しく、面白かった。

オートマットとは、いわばファーストフードの自動販売機で、一九世紀末のドイツで開発された文明の利器だ。二〇世紀になると、ニューヨークを皮切りに、たちまちオートマット食堂がひろがり、アメリカの都市風景の一部となった。注文から受け取りまですべてがセルフサービスなので、給仕にチップを払う煩わしさもない。そして、たいてい水とケチャップが、無料で提供されていた。大恐慌時代の失業者や貧乏人は、ふたつを混ぜ合わせて、ブラッディーメアリーまがいの飲み物「大恐慌カクテル」をつくり、空腹を凌《しの》いだという。劇作家のニール・サイモンは、オートマット食堂を「声なき人々のための（高級フランス料理店）マキシム」、と称した。

しかし一九七〇年代までには、ファーストフードのチェーン店出現により、オートマットの時代は終わる。物価上昇の煽りで、コインでしか支払いのできない機械の不便さが増したことも、人気低落の原因だった。この街で四人は、細野軍治をはじめ、目上の人にご馳走になることも多く、この廃れゆく食文化を試す機会はあまりなかった。だが少なくとも到着の翌朝、早起きをした宇津木と父は、オートマットで手短に食事を済ませている。そして紛失した父の荷物を探しに、グレイハウンドのターミナルへ戻った。前の晩とは違う係の人に案内されて地下室へ行くと、何のことはない、すぐに見つかった。オートマット付きの汚いYMCAといい、荷物の放置されたバスターミナルの地下室といい、首都での最初の一〇時間は、

1950年代，ニューヨークのオートマット食堂

なんともうらぶれたものだった。

それとは対照的に、フランク・キャプラ監督のドラマチック・コメディ『スミス氏都へ行く』(*Mr. Smith Goes to Washington*)で、ジェームス・スチュアートが演じる「スミス氏」の目に映るワシントンDCの第一印象は、まさに「輝ける丘の上の街」そのものだった。西部出身の新米上院議員ジェファーソン・スミスは、鉄道でユニオン・ステーションに到着して間もなく、遠い丘の上に、自らの仕事場となる国会議事堂(キャピトル・ヒル、略してキャピトル)の、白く輝く姿を目にする。感動のあまり荷物を放り出し、夢遊病者のように観光バスに乗り込むと、お上りさんに混じって、ワシントン記念塔、最高裁判所、アーリントン墓地の無名戦士の墓など、首都の名所を回る。民主主義に対する表敬訪問なのだ。とくにリンカーン記念館は、ストーリーのなかで重要な役割を果たす。スミスはそこで、石碑に刻まれたゲティスバーグ演説を読み、アメリカの理想を胸に刻む。

だが実際に議員としての仕事が始まり、スミスが遭遇する現実は、そのような理想とはかけ離れたものだった。ふとしたことから、尊敬していた同郷議員の汚職や、メディアを牛耳る影の権力者の存在を知る。腐敗勢力に押し潰されそうになった時、スミスはリンカーンのもとに戻って涙する。夢を諦めて故郷に帰ろうとするが、有能な秘書サンダースの激励もあり、議会で孤軍奮闘する決意を新たにするのだった。平凡だが善良な一市民スミスが求めるのは、独立宣言に記されゲティスバーグ演説で反復される、人が「みな平等に創られた」未来だ。

もちろん一九三九年に公開されたこの作品が映し出すアメリカ社会が、「平等」からかけ離れていたことは、スクリーン上で一目瞭然だ。議場に女性議員の姿はないし、マイノリティーも見当たらない。黒人の姿が確認できるのは、ユニオン・ステーションで荷物を運ぶポーターだったり、新聞配達をするボーイスカウトの少年にかぎられている。ましてやアジア系の登場人物は皆無だ。それから八〇年以上たった現在、合衆国上院議長を務めるのは、アジア・アフリカ系女性のカマラ・ハリス副大統領だ。やはりアメリカは、回り道をしたり、逆戻りしたりしながらも、おおむねその建国の理念に向かって地道に歩いてきたのかとも思える。

もっとも、いまだかつてない分断が、アメリカ社会を、現在進行形で襲っていることもたしかだ。二〇二一年一月、トランプの嘘を信じた暴徒が、バイデン当選の承認を阻もうと、キャピトルになだれ込んだ前代未聞の大事件が、大きな亀裂の何よりの証拠だ。「これは我々の家だ！」と叫び、議会の占拠を試みた白人優越主義者たちの目は、憎悪に燃えていた。そこには、ジェファーソン・スミスが最後まで失わなかった、民主主義への信念と畏敬のかけらさえ、認められない。

二〇二一年の暴徒たちが、いかにしてセキュリティー網をくぐり抜け、キャピトルに潜入できたのか。この事件が勃発した直後、私はそれが非常に不思議だった。だがよくよく考えてみれば、民主主義的手段を信じない人々にとって、心理的な足かせは無いに等しく、警察官を威《い》嚇《かく》し、セキュリティーゲートを通り抜け、破損行為を繰りひろげることなど、なんとも容易《たやす》かったのではないか。彼らにとって現在の議事堂は、代議民主主義の神殿ではなく、自分たちを蔑《ないがし》ろにするエリート主義者の巣窟《そうくつ》にほかならないのだから。

このような死者を出す侵入騒動が起きてしまった以上、後戻りはできず、とりあえずの策として、警備の壁がいっそう厚く、高くなるのも必至だ。しかし再発を防ぐには、議会の警備をよりいっそう厳しくすることよりも、民主主義についての教育の徹底を優先するほうが重要かもしれない。そう考えると、四人が訪問した一九六一年のワシントンDCは、なんとのんびりと、のどかな場所だったことか。細野軍治の入念な根回しもあり、要所、要所を気軽に訪問している。

キャピトルが象徴するもの

父の荷物が無事見つかったところで、さっそく一行は細野軍治が滞在していたヒルトン・ホテルに向かった。それまでの旅の報告をした後、ランチをご馳走になり、その際に細野の知りあいの海兵隊のジョン・ブラウン少佐夫妻を紹介された(新婚夫婦で、その「まったくお熱い仲」ぶりに宇津木は辟易している)。ランチが済むと、四人は夫妻の白いポンティアックのオープンカーに乗せてもらい、市内見物をした。後部座席に、多少窮屈でも四人全員が座れたということに、当時のアメリカ車の大きさを察することができる。ワシントンDCといえば、春がこのうえなく美しい。一九一二年、日米友好の印として東京市が贈り、ポトマック川河畔の堤防に植えられたソメイヨシノが、街の美観に貢献してきた。だが枯葉の舞う秋の街も、なかなか味のあるものだった。

一行は、郊外にある、ジョージ・ワシントンのプランテーション(大規模農園)、マウントバーノンにも足を延ばした。私も高校時代、家族旅行でここを訪れたことを思い返す。そして、それが奴隷労働によって建てられたことを知り、戸惑ったことも記憶に蘇る。奴隷所有主としてのワシントンに、「そういう時代だった」とか、「歴史を通して、世界のあらゆる場所で奴隷制が存在した」という一般論では済まされない、大いなる矛盾と偽善を、感じたからだ。何せワシントンといえば、「桜の木」の逸話で語り継がれる正直者で、まさに人は「みな平等に創られた」と宣言した人々が建てた国の、最初の大統領だったのだ。

その時の私は知らなかったが、そもそもフィラデルフィアが首都にならなかった理由には、それが奴隷制廃止を唱えるクエーカー教徒の街だったことが挙げられる。ワシントンDCの中間的ロケーションは、なんとしても奴隷制を保持したい、タバコや綿花のプランテーションを奴隷労働で機能させる南部と、建国のために南部を連邦にとどめる必要を感じていた北部の、妥協の産物だったのだ。そしてジョージ・ワシントンだけでなく、文書で確認できるだけでも、一二人の大統領が奴隷所有者だった。

なかでも有名なのは、第三代大統領で独立宣言の主な起草者でもあったトーマス・ジェファーソンだろう。彼は奴隷であったサリー・ヘミングスとのあいだに(おそらく複数の)子供を儲けていたことが、近年のDNA鑑定で、ほぼ確実視されている。高邁《こうまい》な理想を掲げる合衆国大統領の子供であっても、同時に自由なき奴隷であり、父親の所有物としてこの世に生を受けたジェファーソンの娘や息子を思うと、なんともやるせない。

あからさまな矛盾を抱えていたアメリカ建国の父たちだが、それでも彼らが国の首都を、いまだかつてない壮大な政治劇場の舞台につくりあげた功績は、認められなければならないだろう。独立戦争中、ジョージ・ワシントンの下で戦ったフランス生まれの建築家ピエール・シャルル・ランファンは、パリに倣った幅広いブルバードや、式典むけのスペースを、首都の都市計画に取り入れた。そして通りをグリッド化し、その中央に、民主主義の神殿として、キャピトルを据え置いた。一八一四年八月二四日、米英戦争の最中、イギリス軍の焼き討ちに遭うとの受難があったが、キャピトルで四年に一度行なわれる大統領就任式こそは、アメリカ合衆国の政治劇場の目玉演目であり続ける。

二〇二一年も例外ではなかった。マスクを着用した、いつもより少ない招待客の前で行なわれたバイデン大統領とハリス副大統領の宣誓は、キャピトルが暴徒によって荒らされたばかりということもあってか、主役たちが、より決然とした態度で挑んでいる姿が印象的だった。と同時に、式典中にはあまりにも感傷的で、見ているほうが小っ恥ずかしくなる瞬間もあった。バイデンは国民に語りかけた。「暴徒たちは、暴力で人々を沈黙させ、民主主義の機能を止め、この聖地から我々を追い出すことができると考えた。それはできなかったし、これからも、決してできない。今日でもなく、明日でもなく、いつになっても、それはない」。私の耳になんともセンチメンタルに聞こえたのだが、理性とは裏腹に、感動に似た感覚を覚えたのも事実だった。そんな自分の反応に驚きながら、就任式の中継を観ていると、そこに私の長年の友人であり、バンコク在住のオーストラリア人ジャーナリスト、グウェン・ロビンソンから、LINEのメッセージが入ってきた。我々のやりとりは、こんな具合だった。

グウェン：そっちで馬鹿げたサーカスをやってるわね。アメリカ人って、本当に陳腐で、メロドラマチックだと思わない？　ただ実際、彼らは「陳腐」をなかなか上手くやってのけることは、認めなきゃね!!

私：ほんと、陳腐は陳腐。でも我々も、陳腐の恩恵を受けているのかも。とてもじゃないけれど言えないようなことを、さらっと代弁してくれるからね。とにかく暴徒化したアメリカ人より、ちょっとダサくて野暮なアメリカ人のほうが、ずっと良いことは確実。

こんな会話をしながら、私はいかに自分の理想的政治観を、知らず知らずのうちにアメリカの民主主義に投影させていたのか、思い知らされた。民主主義を熱く語る「アメリカ人」を過剰に一般化し、「ナイーブで、センチメンタルな人々」とせせら笑いながらも、キャピトル侵入事件により大きなショックを受けたのは、案外、グウェンや私自身も含めた、非アメリカ人なのかもしれない。滑稽なのは、我々のほうではないか？　自分たちの「アメリカ人」が、途方もなく感傷的で、理想主義的でいてくれるおかげで、我々もそのおこぼれに与り、密かに未来への夢を見続けてきた。だがその夢が、無惨なかたちで終わるかもしれない――そのような危機感を暴徒たちの姿に覚え、動揺したからこそ、今回の就任式には、より心を動かされたのだと思う。

「イン、アップ、アウト」

RFKと会う

父たちの一行は、ワシントンDCでの一日目を、まさにスミス氏のごとく、民主主義巡礼に費やしたわけだったが、翌日の月曜日からは、実際の政治が執り行なわれている各所でのアポイントメントが待っていた。一一月六日は国務省や平和部隊のオフィスを訪ね、一一月七日は、ふたたび国務省で国務次官と面会。一一月八日は、ホワイトハウスを見学し、ケネディ大統領は不在だったものの、秘書に執務室を見せてもらっている。だがこの街での旅程は表敬訪問のような雰囲気に終始し、宇津木によると、「学問的な収穫は非常に少なく」、そのことには多少の後ろめたさも感じたようだ。

翌一一月九日は、首都滞在のなかでも、極めて忙しい一日だった。「ヘラルド・トリビューン」紙やNHKのオフィスを訪ね、後者では、同じビルにあった記者クラブで、訪米中のインド初代首相ジャワハルラール・ネルーを目撃している。午後はアメリカ国営放送ヴォイス・オブ・アメリカの日本語部門に出演した。四人それぞれがアメリカの印象を語る形式で、時間は皆で一五分間。宇津木は、YMCAのドアなしトイレに象徴される、アメリカの開放感について語っている。そしてジョージタウン大学を訪問後、いよいよロバート・フランシス・ケネディ（略称RFK）司法長官との面会が叶うということで、お土産のラジオを手に、細野軍治に連れられ司法省に向かった。

到着すると長官が、執務室の外まで出てきて一行を迎え入れてくれた。その出立ちは、ワイシャツを腕まくりにし、さらにネクタイも半分緩めたラフなスタイルで、もうすぐ三六歳とは思えない、まだ学生のような雰囲気を醸し出していた。だが目つきは鋭く、「精悍」という言葉がぴったりで、テキパキとした動作が気持ちいい。執務室には大きなデスクが中央に据えてあり、そこで著書の *Enemy Within*(『内部の敵』、日本外政学会刊)にサインすると、ハーバードのフットボール選手時代を彷彿とさせる仕草で、次々に四人に向けて投げてきた。奥の部屋にも案内してくれた。そこには子供たちが描いたと思しき、船やサメなどの図画が飾られている。

ケネディ家と海との関わりは深く、マサチューセッツ州ハイアニス・ポートに構えられた別荘は有名だが、日本との関わり、また細野軍治との関わりを考えるときに外せないのは、太平洋戦でJFK、つまりケネディ大統領が指揮した魚雷艇PT-109だろう。この魚雷艇を沈没させた駆逐艦天霧の花見弘平艦長の所在を突き止め、JFKとの文通を仲介したのがきっかけで、細野はケネディ家と親しくなったという経緯がある。JFKの政界キャリアにおいても、PT-109は重要だった。Ⅱ章でも触れたように、『ヒロシマ』の作者ジョン・ハーシーは、JFKが太平洋で一〇人の乗組員と漂流し、負傷しながらも彼らを激励し、泳いで命拾いをした武勇伝を「ザ・ニューヨーカー」に載せた。このエピソードは、JFKの「頼れる若きリーダー」としてのイメージづくりに、大いに寄与した(この記事の出版にも、JFKの卒業論文の出版時と同様、生粋のオペレーターで、ステージパパであったジョセフ・ケネディの働きかけがあったとされる)。

司法長官は、そのPT–109をかたどったネクタイピンを、四人に贈ってくれた。大統領選のキャンペーンで応援グッズとしてつくられた品で、八歳年上の兄の選挙運動総括責任者だったRFKにとって、自慢の、記念すべき限定アイテムだ。三〇分ほどの会見中には、四人に、FBIとスミソニアン博物館を訪問したか尋ね、まだだとわかると同時に電話の受話器に手を延ばし、翌日の祭日でも見学できるよう、手配してくれた。そのうえ、自分の車を使ってくれとのこと。さらにその日は帰りがけに、国立公文書館に寄るように勧められた。結局一行は、そこにも長官付きの車で送ってもらうことになり、公文書館では一七七六年発布の独立宣言書、一七八七年発効の合衆国憲法、そして一七八九年に憲法に付加された権利章典を含む、アメリカ建国ゆかりの展示物の数々を閲覧したのだった。そうしたRFKの配慮がさらに感じ取れるのは、四人の日本出国以前、一九六一年九月一日付の細野軍治に宛てられた書簡だ。

息子さんと、お仲間の学生さんたちに喜んで会いますよ。そして彼らが(平和部隊長官で義兄の)シュライバー氏を訪問できるよう、手配します。繰り返しになりますが、スケジュールの面から、大統領との面会をアレンジするのは難しいかもしれません。とにかくワシントンにいらした時に、お会いできるのを楽しみにしています。

全員が会えたわけではなかったが、実は細野親子は、RFKに会う二日前の一一月七日にホワイトハウスを訪れ、大統領との面会を果たしている。それもホワイトハウスに知りあいを訪ねたところ、偶然ＪＦＫが出てきて会えたということだった。翌年に行なわれた雑誌の対談で、細野徳治はＲＦＫと同様、大統領の若さや率直さが印象深かったと述べている。

　ＲＦＫは、四人の旅行の大義である平和部隊関連の調査にも極めて協力的だった。残念なことにシュライバー長官は、南米に出張中で不在だった。だが前記したように、一一月六日、一行は平和部隊の本部を訪問している。そこでは一〇人近くの各部門責任者との会見が準備されており、「どうやら事前の触れ込みが大きかったようである」と、宇津木は記している。本部で彼らを待っていたスタッフのひとりに、流暢な日本語を話すロバート・Ｂ・テクスターがいた。ミネソタ州出身の彼は、ミシガン大学在学中に陸軍に招集され、戦時の語学兵としてエリート集中教育を受け、日本語と日本文化を学んだのだった。占領下の日本では、芸術や記念碑の保存に当たった。日本から戻ると、コーネル大学で人類学の博士課程に進む。しかも専門分野をタイへ移し、仏教僧侶として出家するという、体当たりのフィールドワークを行ない、村社会における宗教、魔法、占いの研究に没頭した。またもや中西部から世界へと旅立った、異色の才能だった。

　博士号を取得した後のテクスターは、研究者としてハーバードに在籍していたが、アジア各地での経験を買われ、コンサルタントとして平和部隊に引き抜かれている。隊員の訓練や地域ディレクターの選考を任されたほか、任期中は「イン、アップ、アウ

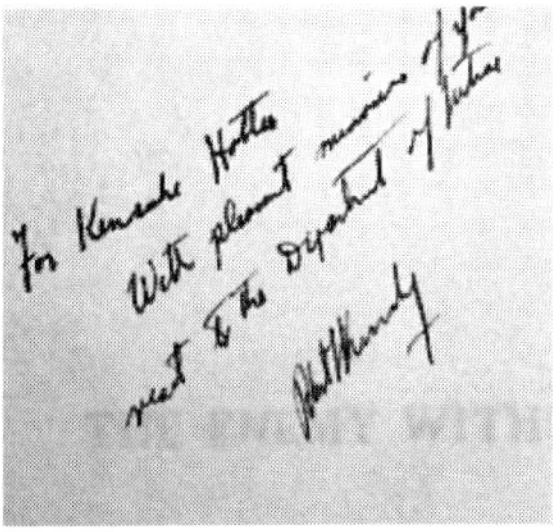

RFKによる堀田宛ての署名

ト」(In-Up-Out 入って、立って、出る)のキャッチフレーズで、平和部隊の方向性をより明確に特徴づけるという、大きな功績を残した。それは現在に続く組織原則で、テクスターの言葉によれば、部隊を「永続的に若く、創造的で、ダイナミック」に保つ意図で、四人の訪問から約ひと月後の、一九六一年一二月一一日に提案したものだった。これがシュライバー長官に、高く評価された。長官は、やがて部隊が初期のエネルギーを失い、官僚的な停滞や自己満足に陥ることを、つまり部隊が「老いる」ことを、早くから懸念していたからだ。よってテクスターの案が受け入れられ、それからの平和部隊員は、入隊し(イン)、すぐに自分の足で立ち上がり(アップ)、長居しない(アウト)のモットーに沿って活動することを、基本方針とした。

五年以上の在隊が認められないというのは、実際の活動ではもったいない面もある。隊員がようやく仕事に慣れ、経験も豊かになってきたところで、除隊を余儀なくされることが、ままあるからだ。だがそのようなマイナス面を鑑みても、平和部隊全体を若い活力でみなぎらせ、非官僚的なグループに保つほうが、組織としてのより大きなメリットがあるという考えが勝り、「平和部隊とは青年が、一時的に参加するもの」という原則が今日まで続いている。テクスターも、自身が発案した「イン、アップ、アウト」に忠実に、一九六四年、ワシントンDCを去り、スタンフォード大学の人類学教授としてのキャリアをスタートさせたのだった。

どんなに優秀な人材でも、ひと所に止まり続けると、官僚主義に傾き、組織のエネルギーを停滞させ、権力を肥大させる危険があるというのは、また政治活動においても、同じことが言えるだろう。いかに人気のあるリーダーが優れた指導力を発揮したとしても、その状態が長く続くことは滅多にない。だがケネディ兄弟は、政治の世界に長居する機会もないまま、命を絶たれた。一九六三年のJFK暗殺に続き、一九六八年六月六日、RFKも、カリフォルニア州民主党予備選挙で勝利した晩、凶弾に倒れた。ケネディ一族の、アメリカにおける神話的な立ち位置は、この二人がまだ若々しく、それも、それぞれの人気の絶頂期に暗殺されたことによって保たれている面があるのではないか。だとすると、「イン、アップ、アウト」の有効性を、死をもって示したことになる。

神話化される一族

現在でもケネディ一族の人気は衰えない。かえって経年とともに、ロマノフ王朝さながらに、JFK暗殺の陰謀説や、一家にかかる呪いの存在を唱える人々が、増えているような気がする。ウィキペディアには、「ケネディ家の呪い」(Kennedy Curse)という項目まである。それによると「ケネディ家の呪い」が、兄弟暗殺以前に始まっていたと主張する人もいるようだ。JFKとRFKの長兄だったパトリック・ケネディが、パイロットとして活躍していた第二次世界大戦中、不慮の事故で亡くなったことが、そもそもの呪いの始まりだという。ジョセフが一番出世を望んでいたのがこの長男で、JFKは、兄の死によって、父親の過剰な期待とともに、一族の呪いをも背負うことになったのだと。

たしかにジョセフの末息子で、長年上院議員を務めたエドワード・ケネディが、同乗女性を死にいたらしめた自動車事故をはじめ、ケネディ家の人間によるドラッグの過剰摂取、スキー事故、自動車事故、飛行機事故など、一族に関するセンセーショナルな事件は事欠かない。なかでも強烈な印象を残したのは、一九九九年、いずれ政界に進出するのではないかと目されていたＪＦＫジュニアが、自らが操縦する飛行機の墜落で亡くなったことだろう。そして最近では二〇二〇年、コロナ禍の夏、カヤック事故で命を落としたＲＦＫの孫とひ孫のニュースが話題になった。だが冷静に考えてみれば、子沢山の家族が多い一族が、代を重ねてさらに肥大し、そのなかの何人かが、スリルのある、だがリスクも付随する、富裕層に許されるライフスタイルを追求し、自己責任の下で事故を起こしている――というのが、本当のところではないか。ケネディ一族にいまだにさまざまな憶測を呼ぶ存在感と魅力があるとされるのは、繰り返しになるが、ＪＦＫとＲＦＫが「イン、アップ、アウト」で、爽やかな風をアメリカと世界にもたらし、惜しまれるうちに去っていったことが最大の理由だと、私には思えるのだ。

ケネディ兄弟の無惨な死は、すべての政策が賞賛に値するわけでは決してなかったケネディ政権に、免罪符をも与えた。キューバ危機を回避できたことは評価できる。だが現地で人気のあったフィデル・カストロの失脚を遂行しようとしたピッグス湾事件に始まる対キューバ隠密作戦や、南ベトナムに軍事力で親米政権を樹立したことなどは、冷戦、ベトナム戦争の激化を招いたともとれる。意見が分かれるところだろうが、政権が続いていたならば、これらの政策がより批判的な目に晒されていたことは、たしかだろう。基本的な素行の問題もあった。率直さが売り物の大統領だったが、在任中、自分を律した、誠意ある振る舞いをしていたわけではなかったのだ。多くの女性と関係をもったとされ、そのなかにはジャクリーヌ夫人の秘書や、ホワイトハウスの研修生といった身近な人間はもとより、マリリン・モンローやアニータ・エクバーグなどの映画女優も含まれていたとされる。

これは本人たちの責任ではないとはいえ、ＪＦＫ、ＲＦＫ兄弟の父親についても、常に怪しい噂がつきまとう。広く信じられている例を挙げれば、ジョセフ・ケネディが禁酒法下のアメリカで、違法に酒類を取引し、巨万の富を築いたというものだ。だがそれは真実ではないようだ。二〇一二年に出版された、デイヴィッド・ナソーによる伝記『家長　ジョセフ・Ｐ・ケネディの驚くべき人生と激動の時代』(*The Patriarch: The Remarkable Life and Turbulent Times of Joseph P. Kennedy* 未邦訳)は、彼がいかに法に触れる寸前のところで金儲けをする才に長け、主に市場投機で財を成したかを、明らかにしている。禁酒法が解けた後、イギリスから高級ウイスキーを独占輸入し、大儲けしたことは事実だが、それ以前から経済的に大成功していたという。

そもそもジョセフは、自分の息子たちに上院議員や大統領になってもらいたいと願っていたため、自らの違法行為で次世代のチャンスを潰すような無茶はしなかった。ただでさえ「アイルランド系カトリック教徒」という社会的ハンディキャップを抱えていたので、細心の注意が必要だったのだ。後に彼自身が政府の精査を経て駐英大使として任命されたことからもわかるように、ジョセフの禁酒法時代の違法行為は、どうやら都市伝説らしい。それでも息子たちの壮大な立身出世を願うがゆえに、自らかなり危険な綱渡りを続け、それを息子たちにも強要したことは否めない。一九五二年、新米弁護士だったＲＦＫの最初の就職先は、共和党上院議員ジョセフ・マッカーシーの率いる、共産主義侵入防止を名目とした調査委員会だった(マッカーシーは、同じアイルランド系のよしみで、ケネディ家と親しくしており、党派は違えど、一時は休暇を共に過ごしたりするほどの濃いつきあいがあった)。

RFKは、マッカーシーの腹心で、後にフィクサーとしてドナルド・トランプと怪しい師弟関係を築くロイ・コーンと衝突し、半年後にはその職を去る。それでもケネディ家の人々が、マッカーシーの一刻毎にエスカレートする赤狩りを、すぐに批判することはなかった。警察国家を彷彿とさせる「マッカーシズム」が、政府やハリウッドを恐怖に陥れた数年間が過ぎ、一九五四年末、上院はいよいよマッカーシーに対する不信任案を可決した。JFKは、この法案に賛成票を投じなかった、唯一の民主党員だった。「家長」のジョセフ・ケネディが、公にマッカーシーを非難するようになるまでには、さらに二年の月日を要した。アイルランド系の同族意識と、共産主義の脅威に対する過剰反応が、倫理的判断基準を狂わせ、兄弟の政界キャリアをも阻む可能性があったのだ。

肌色の問題

バスケットボール観戦での「授業」

このように、今となっては神話化された一家にも、少し掘り下げれば、暗い部分が十分にある。だがケネディ兄弟の残した、より明らかな功績もある。彼らが、こと公民権運動を後押ししたことに、疑いの余地はない。ケネディ政権、とくにRFK率いる司法省は、組織化された人種差別の存続する南部諸州に、真っ向から対抗した。人種で隔離されたバスの停留所や、黒人投票者の登録妨害などを、法的措置や、訴訟によって、告発していったのである。そのことは、確実に公民権運動の拡大に繋がった。

もっともRFKと黒人コミュニティの関係が、最初から良好だったわけではない。司法長官の任期中、FBIからの圧力で、公民権運動指導者のマーティン・ルーサー・キング・ジュニア牧師とその周辺の傍受を許可したことがあった。キングとその仲間の共産主義シンパを疑ったことが、その理由だ。RFKとキングは、その後、年数をかけて、お互いが歩み寄り、徐々に信頼関係を築いていった。一九六八年四月、テネシー州メンフィスでキングが暗殺されると、誰よりも社会の統一を訴え、暴動を鎮めようと努力したのはRFKだった。その二カ月後、自らがパレスチナ系クリスチャンの若者による暗殺で志を絶たれるまで、こと人種差別排除にRFKが注いだ熱意は、賞賛に値いした。

ハワイの空港で、有無を言わせぬ黒人ポーターに荷物を運ばれて以来、アメリカ社会での人種問題のややこしさを、随所で感じ取ってきた四人だった。だからこそ、ケネディ司法長官とのやりとりで、そのあたりの会話が記録されていないのが残念だ。またデトロイトのバスターミナルであったような、黒人青年との腹を割った会話の記録も、他には見当たらない。唯一、この旅での出会いといえるのは、父がワシントンDCのYMCAで、黒人男性からのアプローチを受けたことだろうか。それは例の、仕切りのない浴室でシャワーを浴びている時に起こった。同性愛者と思しき男性が近づいてきて、「背中を流してあげよう」とオファーしてきた。

丁重にお断りしたが、父にはこの出来事が相当衝撃的だったらしく、トルーマンやRFKとの面会よりも、鮮明に記憶している。このように、個人的な接点はごくかぎられていた。

だがワシントンDCは、北境とはいえ南部でもあり、そのせいか、人種差別についてさらに考えさせられる機会が増えていったのも事実だ。一行はある晩、初日にお世話になったブラウン少佐に、プロバスケットボールの試合に連れていってもらっている。そこで素晴らしい粘りとジャンプ力の黒人選手の大活躍を、目の当たりにしたのだった。たまたま近くで、スポーツ中継を得意としたNHKの福島幸雄アナウンサーも観戦しており、コカコーラを奢ってもらったうえに、アメリカのスポーツ界における人種問題の解説までしてもらった。福島アナによると、ワシントンDCの米ナショナル・フットボール・リーグ(NFL)チームであるレッドスキンズは、黒人選手を入団させない方針を頑なに掲げていた。だが前年から一六連敗と振るわず、とうとうその方針を改めることが決まったばかりだという。

ここで話題になったチームは、今日にいたるまで、黒人問題だけでなく、人種問題全般に関して、後手の対応をしている印象が強くある。アメリカ大陸先住民を「赤肌」とする、歴史的にも差別要素の感じられる名前を、最近までチーム名にしていたことが、その最大の理由だろう。二〇一三年ごろから、ネイティブ・アメリカンによるチーム名変更要請運動が起こっていたが、それに拍車がかかったのが、二〇二〇年五月の、警察官によるジョージ・フロイド殺害事件と、それが引き起こした社会運動だった。デモを繰り広げる人々(その多くが若者)は、BLMを唱えるだけではなく、人種差別的なシンボルや、記念碑を排除することも、強く求めた。

その流れを受けて、七月、旧「ワシントン・レッドスキンズ」は、暫定チーム名を「ワシントン・フットボールチーム」(Washington Football Team)とし、二〇二二年までに、新たな正式名を決めることになった。

ルーズベルトの騎馬像

黒い肌と赤い肌、そして彼らの上に立つ、白い肌。その力関係は、コロナ禍での私の日常の散歩道で出くわす、ある光景を思い浮かばせる。南北に長い、マンハッタン島の真ん中を占める長方形のセントラルパークの北端から徒歩五分の場所に、私は住んでいる。おかげで、その日の気分によって、公園の中を錯綜する、さまざまな趣のある小道を、組み合わせを変えて楽しめる。だが世界初のランドスケープ・アーキテクト、フレデリック・ロー・オルムステッドが一九世紀半ばにデザインした、本人曰く「自然よりも自然に見える」、人工的に曲がりくねった不均一な小道に疲れると、平坦な、公園の外壁沿いの舗装道を歩くこともある。公園の西側の壁を半分くらい過ぎたところで、ネオ・ロマネスク様式の、どっしりとしたアメリカ自然史博物館が見えてくる。公園に面した巨大なエントランスの前で人々を迎え入れるのは、馬にまたがるセオドア・ルーズベルト大統領のブロンズ彫刻だ。ルーズベルトの父は、この博物館の共同創始者であり、大統領の子供時代の発掘コレクションは、最初の展示物のひとつだった。

馬上のルーズベルトの右にはアメリカン・インディアンが、左には黒人が、それぞれ筋肉を剝き出しにした上半身裸の格好で、従者のごとく、やや後方に立っている。もちろんこれはブ

ロンズ像であり、三人の肌色こそ同じだ(八〇年以上たった現在は、風雨で酸化した青緑色をしている)。だがしばらく像と睨めっこしていると、私には肌色まで見えてくるように思える。おそらく制作意図としては、アメリカとは「文明をもたらす白人の指導のもとに、有色人種が従い、肉体労働をする社会」であり、自然史博物館のような文化的、教育的施設も、そのような指導力があってこそ存在し、国も繁栄する、といったところだろうか。

二〇二一年の秋現在、この彫刻の足もとには、ある説明書きが設置してある。二〇二〇年夏、この彫像がエントランス前から撤去されることが決まり、大規模な移動作業に備えているところなのだ。館長のエレン・フッターは、「博物館はジョージ・フロイドの殺害後、人種的正義を求める運動が拡大したことに深い感動を覚えており」、「それにともなって、体系的な人種差別を肯定するような彫像」の保存は好ましくないという判断に行き着いたとしている。アメリカ自然史博物館は、それまで、ルーズベルト像はそのままの場所に保存されるべきである、との見解を示していた。「作品がつくられた時代背景や価値観から学ぶ、歴史教育のツールとしての存在価値がある」、といった理由からだった。したがってこのタイミングでの撤去の決断は、組織的な、大きな方向転換だった。当時まだ大統領で、Twitterアカウントも使い放題だったトランプは「馬鹿らしい。やるな!」と、その理由は説明せずに、博物館の発表を切り捨てた。その一方で、セオドア・ルーズベルトの曽孫で七七歳のセオドア・ルーズベルト四世は、「騎馬像の構図は、セオドア・ルーズベルトの遺産を反映していません。像を撤去して、前進する時が来ました」、と全面的な賛意を表明している。そして二〇二一年の六月には、ニューヨーク市公共デザイン委員会が彫刻の撤去を正式に決定した。だが落ち着き先は、まだ不明だ。

政権が倒れ、独裁者の像が倒されるのとは異質の問題が、ルーズベルトの騎馬像論争につきまとう。長い目でみれば受け入れ難い価値観を表現する芸術や、記念碑が、どこまで保存され、どこまで撤去されるべきなのだろう。この問題に個人的な興味が湧いてきたところで、幸運にも私はヘンリー・ルース財団の奨学金プログラムの選考委員として、若い専門家に話を聞く機会を得た。応募者のなかに、美術史家がいたからだ(財団は、「タイム」、「ライフ」誌の創始者ヘンリー・ルースによって設立されたもので、奨学金は、毎年二月、アジア各地に一年間派遣される三〇歳までの研究者に授与される)。

全米から、さまざまな分野で頭角を現す大学生や、大学院生、社会人が応募してくるこの奨学金の選考会では、こちらが学ぶことも多い。その美術史家は、テキサス州サン・アントニオ出身の白人女性で、父親の軍関連の仕事でドイツに生まれ、現在はシカゴの黒人インスタレーション・アーティスト、シースター・ゲーツについて論文を書いているという。多岐にわたる視点から物事を捉えようとする彼女に、我々はどうやって歴史的記念碑と付きあっていくべきなのかと、コンピューターのスクリーン越しに質問した。「自分が育った南部には、明らかに、奴隷貿易に関わっていたり、奴隷制を後押ししたりと、問題の多い人物を讃える銅像も多い。そういった像は迷いなく、撤去されるべきだと思っている」としつつ、「今日の、絶対的社会正義を謳う、議論を許さない雰囲気のなかでは、保存されるべきかもしれないモニュメントまで一緒くたに扱われて撤去される危険性がある。あくまでも、ケース・バイ・ケースで対処すべき問題だと思うので、そこは変わらなければならない」、という答えだった。

もっともだと思う。自然史博物館とは反対側の、公園の東壁沿い、ニューヨーク市立博物館の斜め向かいには、三年前まで、J・マリオン・シムズの銅像が設置されていた。彼は「現代産婦人科医療の父」として、一九世紀のアメリカ医学界に君臨した医師だ。だが自身の外科技術開発のために、奴隷女性を、麻酔なしの人体実験の対象としていた史実が告発され、反対運動のすえ像が撤去された。主が消えて久しい銅像の台座には、撤去の理由を説明するサインがあるだけだ。もうこの際、間違った英雄を崇めることを避けるためにも、人物像は、増やさないでよいのではないか。そこを通り過ぎるたびに、新しい像が設置されていないことを確認し、少しほっとするのである。

フリーダム・ライダーの道のり

ディープ・サウスへ

一一月一〇日。六泊した首都での滞在も、いよいよ最終日だ。だが夜行バスに乗り込むまでも、慌ただしかった。ケネディ司法長官は、前日の約束どおり車を迎えに出してくれて、それに乗ってFBIやスミソニアン博物館をめぐった。昼食は、細野軍治の懇意にしている日本人を含めた八人で、中華料理をご馳走になる。そのなかには、教育者の西本三十二《みとじ》国際基督教大学教授もいた。戦前、細野と同じコロンビア大学から教育学の博士号を取得した西本は、早くからラジオやテレビを使った教育の可能性を信じ、日本の教育放送の普及に貢献した人物だ。その関係で、日本の英語教育改革の必要性が話題になった。西本は、日本人のヒアリングとスピーキングのスキルの欠如を憂い、テレビやラジオで、ネイティブスピーカーの英語を聞く機会を増やすことを目ざしていた。一九六一年、アメリカではすでに教育の一部がテレビを使って行なわれる方向に動き始めていたが、日本でもやがてその時代が到来することを、予感させる話だった(NHKテレビの教育放送は、一九五九年に始まったばかりだった)。

昼食が終わると、この先のチケットを手配し、YMCAで荷物をまとめ、いよいよ出発だった。細野父から餞別《せんべつ》に追加の二〇〇ドルを渡され、それを五〇ドルずつ四等分して、後半の旅費の補充もできた。午後五時一五分、バスターミナルから発車し、いよいよアメリカ南部の奥深くへ迫る旅が始まる。

あらゆる意味で、一九六一年、グレイハウンドバスでの南部訪問は、タイムリーなものだった。というのも、公民権運動の起爆剤となった、歴史に残るバス旅行が決行されたばかりだったからだ。その年の五月四日、一八歳から六一歳の、黒人と白人の混ざった男女グループが二組に分かれ、ワシントンDC出発の州間長距離バスであるトレイルウェイバスと、グレイハウンドバスに乗り込んだ。バージニア、ノースカロライナ、サウスカロライナ、ジョージア、アラバマ、ミシシッピ、ルイジアナの南部諸州を、二週間かけて巡ったこの旅行は、「フリーダム・ライド 1961」と呼ばれる。その目的は、「人種分離された公共バスは違憲である」とした、これまでの合衆国最高裁判所の決定が、どこまで南部で受け入れられているのかを、確かめることだった。フリーダム・ライドは、一九四二年にシカゴで設立された、社会正義促進を目ざす組織、CORE(Congress of Racial Equality 人種平等会議)の後援によって実施された。

旅人のチームは、すべてボランティアで、彼らの具体的な手段には、二通りあった。まず黒人と白人がペアになって、隣同士の座席に座ること。また黒人ライダーが、南部では白人の優先席とされていた、前方席に座ることだった。ワシントンDCを出発してしばらくは、何も問題はなかった。バージニア州とノースカロライナ州では、小さな揉め事があったが、暴力沙汰にはいたらなかった。だがサウスカロライナ州に来て、とうとう、フリーダム・ライダーのひとりが攻撃された。最大の衝突は、さらに南へ下ったアラバマ州バーミンガムとアニストンで起こる。悪名高き白人優越主義秘密結社KKK(Ku Klux Klan クー・クラックス・クラン)が、地域有力者たちの黙認の下に、大規模な攻撃に打って出たのだった。グレイハウンドバスに火炎瓶が投げつけられ、フリーダム・ライダーたちが殴打されるという衝撃的な事件が、全国区のニュースになった。重傷者を出す恐ろしい結果を招いたものの、幸いなことに、死者は出なかった。そして公民権運動拡大の必要性を多くの人に知らしめたという意味では、この実験旅行は成功だった。

私が本書の執筆に取り掛かろうとする頃、尊敬する小説家でハーレムの隣人でもあるダリル・ピンクニーを訪ね、マスク越しに近況報告をする機会があった。「父とその仲間が一九六一年にグレイハウンドで旅行したアメリカについて、書こうと思っている」と伝えると、ダリルは感銘を受けた様子で「あー、そうか。一九六一年とグレイハウンドね。あの年は我々にとって素晴らしい年だったから、それは面白いね」と返してきた。彼の使った「素晴らしい年」(great year)という表現は、もちろん暴力沙汰があったことではなく、フリーダム・ライドが公民権運動に対する関心を喚起したという意味で、素晴らしいと形容したのであり、また「我々にとって」というのは、彼の両親を含む、公民権運動にその生涯を捧げた人々、またアメリカ社会における黒人全般を指しているのだと、解釈した。

ダリルの両親は、ともにインディアナ州インディアナポリスで歯科医をしていたインテリで、彼らについての追想や、公民権運動の最盛期に過ごしたダリル自身の少年時代に触れる作品は、秀逸だ。家族のなかでダリルだけが、カフェオレ色でなく、より濃い肌色に生まれついたことに対して抱いた、幼少期のコンプレックスについての記述は、とくに印象に残っている。大元をたどれば、サウスカロライナの綿花プランテーションで奴隷として生きた先祖がおり、家族のカフェオレ色の肌色は、奴隷を所有していた側の白人も、おそらく先祖にいたことを示唆している。そして肌色だけではなく、奴隷解放によって苗字を選ぶ際には、他の多くの元奴隷がそうしたように、自分たちの所有者だったプランテーション主ピンクニーの苗字を名乗ったのだ。

だがいくら白人の祖先がいても、「ただ一滴でも黒人の血が体内に流れていれば、黒人」という定義が、アメリカ社会、それもとくにジム・クロウ法の支配する南部での暗黙の掟なのだった。ジム・クロウ法とは、奴隷制廃絶後も人種差別を合法化しようと、南部の州や地方自治体が発令した、法令群の総称だ。そして「ジム・クロウ」という名は、白人が顔を黒塗りにし、黒人を戯画化したミンストレル・ショーの登場人物にちなんでいる。一九六八年まで続いたこの法は、黒人から選挙権、就職権、教育権など、すべてのアメリカ市民に与えられる、あらゆる基本的権利を取り去ろうとするものだった。そして「黒人」とされる者がジム・クロウ法に逆らおうとすれば、逮捕、罰金、服役、暴力、そして時にはリンチによる無惨な死という運命が待ち受けていた。

一八九二年、ニューオーリンズ出身で曽祖父がアフリカ系の男性ホーマー・プレッシーは、列車の車掌に「有色(colored)であるか」と訊かれ「イエス」と答えたうえで、黒人専用車輛に移動することを拒否し、自身の憲法上の権利を主張した。その四年後、最高裁まで持ち込まれた有名な裁判では、「分離すれども平等」の原則が通るとして、人種差別が合憲であるという採決が七対一で下された。この判決は、隔離された個別の公共施設が、合法性を謳ってさらに蔓延するという結果をもたらした。プレッシーや彼の支援者たちの議論の正当性が証明されるのは一九五四年、最高裁が過去の判決を覆すまで、六〇年以上の時間を要したのだった。だが判決が否定されてからも、分離された公共施設は、一九六一年当時、南部のそこここで、そのまま続いていたのである。フリーダム・ライドが目ざしたのは、まさに、そのような組織化された差別に、注意を喚起することだった。

四人が知らなかった歴史

日本人の四人は、ひとまずフリーダム・ライドがたどった道のりからは外れ、内陸にそれるかたちで、一一月一一日の早朝、テネシー州ノックスビルに到着した。この場所を訪問する目的は、ただひとつ。TVA(Tennessee Valley Authority テネシー川流域開発公社)の見学のためだった。TVAは一九三三年、いまだ大恐慌に苦しむ地域の復興対策として、フランクリン・D・ルーズベルト大統領が立ち上げた総合開発公社だ。水力、原子力、火力による発電で、テネシー州の大部分と、部分的にアラバマ州、ミシシッピ州、ケンタッキー州、ジョージア州、ノースカロライナ州、バージニア州という広範囲にサービスを提供する。TVAのエンジニアや従業員の案内を受け、四人も二日がかりで、巨大ダムや原子力博物館の見学にいそしんだ。最後にそのひとりの自宅に招かれコーヒーをご馳走になったが、緑の山間にある家々は、すべてTVA関係者のもので、大自然に抱かれた奇妙な企業城下町といった風情だ。そして家に入れば、内部は完全に電化されているという、恵まれた自然環境とのギャップも、印象的だった。

TVA見学がすむと、本格的な南部に進み入る事になる。ノックスビル発の夜行バスが目ざすのは、ホーマー・プレッシーの出身地であり、「フリーダム・ライド 1961」の最終ストップでもあった、ルイジアナ州ニューオーリンズだ。バスは、出発から二〇〇マイルほど走ると、アラバマ州ガズデンで、休憩のために停車した。四人が最初に異変に気づいたのは、ここだった。降車すると、待合室は「有色用」(Colored)、「白人用」(White)と、区別されている。宇津木は、見た瞬間に嫌な気持ちに襲われたことを、日記に記録している。父は、「黄色人種」だといわれる日本人は、色付きなのではないかという判断から、また多少の反骨精神から、有色用とされる施設に入ろうとしたのだが、他の白人客に「お前たちはこっちだ」と呼び寄せられた。

自己満足の正義心から黒人のための施設を使用することに固執すれば、騒ぎになってかえって迷惑になるかと、その場は白人施設に入ったが、後味の悪さは、いつまでも残った。さらにバスは南下し、やがてバーミンガムの停留所で止まった。ここでは、乗車時、黒人客が暗黙の了解のうちに最後まで待ち、バスの後部座席に座る様子を目撃した。宇津木は記す。「彼ら(黒人)自身どう考えているのか。暗黙の差別を無視したらどうなるのか。まったく理解に苦しむ問題である」。一行は、たった半年前、まさに同じ場所で、「暗黙の差別を無視した」フリーダム・ライダーたちが襲われたことを、知らなかったようだ。

『アラバマ物語』

ティーンエージャーの眼でみたアメリカ政治

フリーダム・ライドだけではなかった。「分離すれども平等」の建前で行なわれる露骨な差別を、四人が最初に目にしたアラバマ州は、一九六一年、何かと国内の注目を集めた州だった。

なぜかといえば、ハーパー・リーの『アラバマ物語』(*To Kill a Mockingbird*)が、その年のフィクション部門で、ピューリッツァー賞を受賞したからだ。一九三〇年代の田舎町でおきた黒人冤罪事件を扱ったこの作品は、二〇一八年にアメリカ公共放送サービス(PBS)が「アメリカ人の好きな文学作品」(The Great American Read)と銘打って行なった、綿密かつ大規模な視聴者アンケートで、断トツの支持を得て第一位になった、まさに広く、長く愛される国民的小説だ。

ストーリーは、多感な白人少女スカウトの目を通して語られる。強姦罪で不当に告発された黒人男性のために、負け戦と知りながら法廷に乗り込む正義感あふれる弁護士は、スカウトの父親、アティカス・フィンチだ。自伝ではないものの、スカウトはリー自身、アティカスはリーの父親で、後にジャーナリストになったA・C・リー、スカウトの遊び仲間ディルは、幼馴染みで『ティファニーで朝食を』や、リーが取材を手伝った『冷血』で知られる作家、トルーマン・カポーティがモデルになっている。そして冤罪事件そのものも、A・C・リーが実際に弁護した事件を元にしている。

この小説は、一九六二年には映画化され、リー自身、自分の父親が憑依したように感じたと語ったグレゴリー・ペックの熱演でも、広く記憶されている。日本でペックといえば『ローマの休日』で演じた新聞記者ジョー・ブラッドレーを思い出す人が多いだろうが、アメリカでペックのはまり役といえば、なによりも『アラバマ物語』のアティカス・フィンチなのだ。アメリカの幼い子供が『オズの魔法使い』にのめり込み、ジュディー・ガーランド演ずるドロシーに感情移入するのと同じように、多感な青少年は、ペックがフィンチになりきって体現するアメリカの良心に感動し、あわよくば自分も、不正を行なったり、見て見ぬ振りをしたりする側でなく、つねに正義の側にいる人間であることを願うのだ。フィンチは最終弁論で、人種的偏見に凝り固まった、白人男性で構成される陪審団に「黒人が不道徳」だという「邪悪な仮定」を信じないよう求める。そしてアメリカの法廷とは、すべての人間が平等に扱われるべき場所だと訴える。その姿は、孤立無援のスミス氏が、議会でフィリバスター(牛タン戦術)を行ない、熱く合衆国建国の理想について演説するシーンをも、彷彿とさせる。

小説、映画ともに、どれほど『アラバマ物語』がアメリカ人の心に植えつけられているかを、私が実感したのは、二〇二〇年の夏だった。一三歳になったばかりの娘の夏休みの宿題に、『アラバマ物語』についての小論文が出ていた。テーマは「アメリカについて、それもとくにアメリカ社会における不公正や人間性の抹殺の影響について、作者はどのような議論を展開しているか」だった。この時点で、私は本書の構想を練り始めていた。自分の考えを整理する良い機会と思い、娘に、私の父、すなわち娘の祖父とその仲間の南部バス旅行での経験を大まかに伝え、話し合った。お題にある「人間性の抹殺」というキーワードは、とくに大事だと考えた。バス旅行の二〇年前には、日本はアメリカと戦争を始め、両国政府はお互いを「ジャップ」だ、「鬼畜米英」だと壮大なプロパガンダで罵り合いながら、敵を「非人間化」することに躍起だったからだ。それを考えると、元「非人間」の国から来た四人が、南部で「白人」の扱いを受けたことは、逆に奴隷制が終わってほぼ一世紀経っても続く黒人差別の根深さを、雄弁に物語っているように、私には思えた。その点を、娘にも考えてもらった。

膨大なテーマにどう答えるか手こずっていた娘は、面白い切り口を見つけたとばかりに、この話に飛びついた。バスでの人種分離が、小説の設定から三〇年経っていた一九六一年にも続いていたこと。それを自分の祖父が実際に目撃したこと。また「黄色」の人種として、「色付き」の人のための施設を使うべきなのか、またバスの後部座席に座るべきなのか、迷ったこと。そのような話を、娘は、小説のなかの、分離された法廷の傍聴席シーンと織り交ぜて、小論文を構成していった。そして新学期が始まると、最初の数週間は、(国語としての)英語の授業が、『アラバマ物語』を中心に進められ、映画鑑賞会も行なわれた。日本で中学一年生だった頃の自分の授業風景と比べると、コロナ禍のオンラインクラスで何かと制約が多い状況とはいえど、なんとも多角的な内容で、側で見ていて羨ましかった。だがその内容を、当時の私が、はたして理解できただろうか。

たしかに娘の政治問題への関心度は、周りのことにしか頭が回らなかった私の子供時代、思春期とは、比べ物にならないほど高いといえる。二〇一六年に、ピート・ブティジェッジ現運輸長官が、国政でも注目を浴び始めると、いち早く「そのうちこの人に大統領になってもらいたい」と、YouTube 映像で紹介してくれたのも、娘だった。バーニー・サンダースの政見放送なども、九歳だったその頃から熱心に見入っていた。娘の周辺を見ていると、そんな娘は、おそらく典型的ではないが、けっして例外的ともいえない。考えるに、二〇〇七年生まれの娘の世代は、記憶のなかの最初の大統領がバラク・オバマであり、選挙制度や社会問題に興味を持ち出した年頃に、オバマとは真逆の信条を掲げるトランプの当選を目の当たりにするという、まさにアメリカ政治の両極端を経験してきた、否応なしに政治に興味をもたされた世代なのかと思う。そして現実問題として、ニューヨークの公立校には移民家庭の子女も多く、滞在資格も含めて、政権の違いが自分や、家族や、友人たちの将来に影響する。また、ハーレムに住んでいれば、いわゆるマイノリティー問題にも自然と敏感になる。政治意識の目覚めが早いのも、当然のような気がする。

「一括り」にはできない現実

ことアメリカ社会のマイノリティー問題に関していえば、娘は親の知らぬうちに、ある種の早期英才教育を受けてきたといえるかもしれない。私と夫がハーレムに住むことを選んだのは、それまで住んでいたミッドタウンよりも家賃が安く、より広い部屋に住める、という物質的な魅力があったからだ。と同時に、当時一歳だった娘に、オフィス街やデパートの立ち並ぶ地域では感じ難い、より生活に根ざした文化に触れて欲しいという願いもあった。もちろんハーレムといっても、広い。大まかに分けて、ふたつのハーレムが存在する。いわゆる「アフリカ系」の黒人が多く住むハーレムと、プエルトリコやメキシコなど、スペイン語圏出身者の多いイースト・ハーレムだ。そしてふたつのハーレムも、それぞれが、さまざまなコミュニティに分かれている。我々が暮らしているのは、マルコムXゆかりのモスクにほど近い、いわゆる伝統的なハーレムにありながらも、現在は「プチ・セネガル」と呼ばれ、旧仏領アフリカからの移民が多いことで知られる一角にある。その関係もあり、娘は幼稚園から中学校に上がるまでを、英仏バイリンガルのカリキュラムの学校で過ごした。そこでも、アメリカン・インディアンや公民権運動について熱心に、それもフランス人や北アフリカ出身の先生から、二カ国語で教えられたわけだが、そのような授業では伝えきれない「差別」についての勉強を、娘は実地で、毎日のように体験していった。

娘は、まず圧倒的マイノリティーとしての自分に向けられる好奇心、時には差別と向き合う術を、物心ついた頃から身につけていった（生徒のなかの非黒人率は低く、我々のような変わり者の家族や、フランス、ベルギーなどの転勤族が点在する程度だった）。それは概して「私はそんなこと言われたり、されたりしても、動じない」と、相手にわからせることだった。望んでいた反応がなければ、向こうも肩透かしをくらった気になって引き下がる。また娘は、大まかに「黒人」として、アメリカ社会で一括りにされる人々が、まったくひとつにまとめられるグループではないことを、自然に学んでいった。黒人が多数派の学校とはいっても、何代もハーレムに住んできた黒人家庭出身の生徒はそれこそ少数派だ。ほとんどは、アフリカ、またはハイチやマルティニークなどカリブ海のフランス語圏からきた移民家庭の子供たち、つまり一世のアメリカ人だった。よって、習慣、宗教の違いからおきる摩擦は、日常茶飯事だった。厳格なイスラム教徒家庭の生徒に、クラスメートがハムのサンドイッチを分けてしまって大騒ぎになったこともある。

このような経験を、一枚岩でない「黒人」コミュニティで積み重ねていくことで、人は環境の子ではあるけれども、結局は「人それぞれ」という、ヒューマニスト的な物の見方が、身に付いたのではないかと思う。というか、そうあって欲しいと、親の勝手で思っている。教室では「奴隷制はひどいこと」、「人種差別はいけないこと」、「七月四日(合衆国建国記念日)を祝うのも良いが、六月一九日(奴隷解放記念日)を祝うことを忘れてはならない」、といった観念的なメッセージが連呼される。それを強化する経験が、より早いうちにあるのは、幸運なことだ。

だが学びの機会は、なにもリベラル優勢の、大都会のニューヨークだから多くある、というわけではは、ないのかとも思う。リーやカポーティは、物書きとしてのキャリアの基盤を、文芸における「第一の都市」ニューヨークに置いたが、彼らがこの街で活躍できたのは、子供時代、アラバマの片田舎で強烈な経験をしたからこそなのではないのか。そこで見たり、経験したりした大人社会の矛盾、不公正、嘘、そして、それらに屈することを拒む民主主義的、ヒューマニスト的理想のすべてが、より強く、より大局的に物をとらえる視点を、二人のなかに培ったのだと思うのだ。人間教育は、たとえそれが人種差別のはびこる一九三〇年代のアラバマであっても、またトランプ支持者を多数生み出した、現代の廃れた工業地帯ラストベルトであっても、可能なのだと思いたい。

非人間か、透明人間か

アイデンティティ政治のややこしさ

だが「人間を人間として見る」ということを、アメリカ社会は、なんと難しくするのだろう。

それも、大いなる善意をもって。アフリカ系、アイルランド系、中国系、ヒスパニック系、日系、ラテン系、ロシア系などの呼称にみられる「××系アメリカ人」という民族的、または出身国的括りや、「人種」という、植民地主義が生み出した「白人」「黒人」といった色で分類されたカテゴリーが、社会を構成する基本ブロックとなっている今日のアメリカ。そこでは、そのような「分類」が、生まれつきの「アイデンティティ」の中核を成すと、幼いうちから教わる。それぞれのグループごとに、誇れる歴史や文化があり、それがその人の価値や自我に自動的に付随するかのように育てられるのだ。さらに成長の過程で、宗教、ジェンダー、性的指向・性自認のアイデンティティなどが加わっていく。よって、社会科の授業では、小学校の低学年でも、「あなたのアイデンティティは何?」といった質問が、当然のことのように、頻繁にされるようになる。

数は力となり得る。何かの大きなコミュニティへの属性を表す「アイデンティティ」は、ナショナリズムがそうであるように、根無草《ねなしぐさ》になりたくない人間の心の拠り所となることもあるだろう。反対に、いくつかの、時には相反するアイデンティティをもって生まれた人にとって、自分の居場所が見つけにくくなるというデメリットもあるかもしれない(よく引き合いに出される例としては、保守派キリスト教徒の家庭に生まれついた同性愛者の葛藤がある)。だが「アイデンティティ」を過剰に重要視することの、本当のややこしさは、それが個人を「非人間化」するという皮肉にあるのではないか。

再度、アメリカ社会で「黒人」として一括りにされる人々を、考えてみる。いくら独自のバックグラウンドや経験、個性、夢があれども、彼らは「黒人」、または「アフリカ系」としてのアイデンティティありきでとらえられがちだ(もちろん当事者がそれを望む場合もある)。バラク・オバマは、ケニア人の父親、つまり非「アフリカ系アメリカ人」と、アイルランド、ドイツ、スコットランド、スイスなどのルーツをもつ白人のアメリカ人の母親のあいだに生まれ、インドネシアやハワイで育った、いまだかつてないコスモポリタンな系譜と経験をもつ合衆国大統領だ。だがシカゴ出身のミシェル夫人と結婚し、政治家としての道を歩むなかで、「アメリカの黒人」として生きる道を選択し、やがて「アメリカ初の黒人大統領」となった。

これはカマラ・ハリス副大統領の経験とも重なる。公民権運動に参加したインド人の科学者であった母親は、ジャマイカ出身の夫とのあいだに生まれた子供たちを、離婚後ひとりでアメリカで育てるにあたって、「娘たちがアメリカの黒人として扱われるからには、アメリカの黒人として育てていかなければならない」と決心したという。それはやはり奴隷制という過去の呪縛がアメリカ社会を支配し、いまだ和解の目処がないこと、「一滴の血」にこだわるジム・クロウ法が、まだ人々の心のなかで、なんらかのかたちで続いていることの、証明なのではないだろうか。

アメリカの黒人問題において顕著なこの「一括り」だが、一般的に言っても、アイデンティティ政治の弊害は、人間を個人としてでなく、ステレオタイプで見てしまう傾向を助長することだと思う。たとえば「アジア系アメリカ人」というアイデンティティには、「アジア人は勤勉」という、おおむねポジティブなステレオタイプがある。だがそれには「一心不乱な社会上昇志向で、他の移民のチャンスを奪う迷惑な人たち」というネガティブなニュアンスが含まれることもある。どのようなアイデンティティを掲げる集団にも、光と影の側面は避けられないであろう。厄介なのは、光が強過ぎても、影だけでも、そこに属する人の人間性を、見えにくくすることだ。はっきりと他人の目に映るのは、大きく掲げた名札だけ、ということになる。

エリソンから受け継がれたもの

見えない人間。それは、人間としての存在を否定されたも同然の生き物だ。そのような人間未満の悲喜劇的な状況を、詩的に、独創的に、毅然とした文体で表現した二〇世紀の作家がいる。ラルフ・エリソンだ。一九五二年に出版された小説『見えない人間』は、原題を *Invisible Man* といい、H・G・ウェルズによる一八九七年のSF小説『透明人間』(*The Invisible Man*)と、ほぼ同名である。エリソンの作品は、こう始まる。

「私は透明人間だ。否、エドガー・アラン・ポーに出てくるような幽霊でもなければ、ハリウッド映画のエクトプラズムの類でもない。私は肉と骨、繊維と水分でできた、本物の人間で、心までもっている、といえるかもしれない。わかってもらえるだろうか。私が見えないのは、単純に、誰も私を見ようとしないからだ」

この小説は、人種的に隔離されたコミュニティに生まれ育った、最後まで名前の明かされない主人公の、自我確立の闘いの物語だ。南部の黒人専門大学で教育を受け、より文化的な生活を求めてニューヨークに移るが、そこではさまざまな苦い経験をする。カリスマ性や演説のうまさを買われて、人種差別反対運動に関与するようになり、その世界で頭角を現すが、真の理想家でヒューマニストの彼は、満足できない。他人が、社会が、自分のことを黒い肌色と関係なく、ひとりの人間として見てくれていないことに、屈辱と幻滅を感じる。そして彼は「見えない人間」として、生きることになる。

この作品は、自伝ではない。だがハーパー・リーの『アラバマ物語』同様、主人公の経験は、作者エリソンの軌跡を、所々に反映している。エリソンは、リーよりも一世代早く、一九一三年、中西部オクラホマ州オクラホマシティで生まれた。音楽の才能に長けていた。ブッカー・T・ワシントンによって建てられた南部の名門黒人大学タスキーギには、学内オーケストラでトランペットを吹くことを条件に入学を許可された。だが在学中に文学に目覚め、やがて彫刻家になろうと移り住んだニューヨークでは、黒人による芸術振興運動ハーレム・ルネッサンスを牽引した詩人ラングストン・ヒューズや、『アメリカの息子』(*Native Son*)で知られる作家リチャード・ライトなど、きらびやかな文化人の知己を得る。第二次世界大戦の末期には、米国商船隊の料理人として働くが、健康を害したため、戦後はバーモント州で療養した。その時に書き始めた『見えない人間』は、完成まで七年の月日を要した。だが出版と同時に、エリソンは一躍アメリカ文壇の寵児となる。その後は、エッセイや書評、短編などの執筆を続ける傍ら、バード大学やイエール大学で教鞭を執った。『見えない人間』に次ぐ小説を大いに期待されながらも、存命中に出版した長編小説は、ただその一冊だった。一九九九年、エリソンの死から五年を経て、膨大な未完成の原稿がカットされ、第二の小説 *Juneteenth*(『奴隷解放記念日』、未邦訳)が、発表されたのだった。

エリソンは、「黒人作家」、あるいは「アフリカ系アメリカ人作家」として括られることを、どう感じていたのだろうか。「人として見てもらえない」ことに苦しむ、『見えない人間』の主人公と、同じ思いでいたのだろうか。唐突かもしれないが、二〇〇八年に演歌歌手として、日本の芸能界に彗星の如く現れたジェロが、「初の黒人演歌歌手」として盛んにメディアで取り上げられていたことを思い出す。彼を世に出したプロデューサーは、「自分はジェロの歌唱力と表現力に惚れ込んだのであって、物珍しさが先行するそのような捉え方は、彼の才能の本質を見逃し、聴き逃している」、といった意味あいのことを、テレビ番組で語っていた。エリソンは、たしかに黒人として育ち、人種隔離政策の下に、南部の黒人だけが在籍する大学に進学し、ハーレムで人種問題や政治活動に目覚めた。黒人こそが、アメリカの歴史、音楽、芸術の創造に、大きく貢献してきたとも信じていた。よってエリソンが、いわゆる「黒人文化」とは切っても切れない関係であったことは、否定できない。それでも、あるいは、それだからこそ、アメリカが背負う過去を乗り越えるのには、肌色を超えたところで、個々のレベルで、「人間が、人間を見る」努力をする必要がある、と考えたのではないか。それは一番シンプル、かつ難しい道でもある。

エリソンが文学を通して送った、個々の人間性の尊重を訴えるメッセージを、深く理解し、支援し、愛したふたりの作家がいる。ひとりは『ヒロシマ』の作者で、JFKの太平洋戦での武勇談も著したジョン・ハーシーだ。ハーシーは、エリソンのエッセイ集の編集を買って出て、長年教えたイエール大学では、自分の学生たちに『見えない人間』を読ませ続けた。ハーシー夫妻の避寒のためのフロリダ州キーウェストの別荘は、亡くなるまで、エリソンとシェアしていた。

もうひとりの作家は、一九七六年にノーベル文学賞を受賞した、ソウル・ベローだ。彼もニューヨークのハドソン渓谷の家で、エリソンのハウスメイトだった時期がある。一九五〇年代後半、妻に去られたばかりのベローは、寂しさもあり、近隣のバード大学でエリソンが教える間、一緒に住まないかと声をかけたのだった。二人は舞踏室まである巨大な、だがぼろぼろで、大規模な修復を要する朽ちかけた豪邸で寝食を共にし、執筆に励み、夕方になるとエリソンがつくる強いカクテルを飲みながら、歴史や文学について意見を交換する日々を送った。一九九八年、ベローはエリソンと過ごした二年間の思い出を発表した。ベローにとってエリソンは、第一に作家だった。その作家が黒人だったのは、「私がユダヤ人で、アメリカ人で、作家だということと同じだ。「ユダヤ人作家」と呼ばれると、私は脇へ追いやられる気がしたものだ。そのような分類作業は、排除のための装置に過ぎないと思った。分類されることを、エリソンも私と同様、良く思っていなかった」。

この意見に心の底から頷くことのできる人が、いまだに少数派であるからこそ、エリソンの小説が、そしてリーの小説が、ますます読み継がれ、読み解かれる必要がある。

第Ⅴ章　宴のあと

ニューオーリンズの創造

「もっとも美しい街」に到着して

四人を乗せたバスは、一一月一二日、ノックスビルを出発した。日曜日の夕方だった。ジョージア、アラバマと南下するうちに、週末を家族のもとで過ごした大学生で、車内の席が次々と埋まっていく。アラバマに入ってからは、肌の色で分離された休憩施設や、後部座席に黙って座る黒人客の姿を目の当たりにしたこともあり、日本の旅人たちは、いまだかつてない閉塞感を抱き始めていた。苦しさから、宇津木はとりあえず寝てしまおうと目を閉じたものの、どうにも眠れない。そのうえ真夜中過ぎに酔っ払いが乗り込んできて、騒ぎ出した。寝たふりをしても、揺さぶられてタバコをせがまれる。

不快感が頂点に達したところで、ようやく数時間の深い眠りが訪れた。目が覚めると、バスはすでにルイジアナ州を走っている。場所によっては海かと見紛うほどの川幅を誇るミシシッピ川を渡れば、ほどなくしてニューオーリンズに到着だ。橋の上を走行中は「対岸が見えず」、「ここで新たにアメリカの馬鹿でかさというものを認識した」と細野が記す。もとより湿地で蒸し暑い気候なのだろうが、その日はスコールのような激しい雨が、バスの窓ガラスを叩いていた。そこから見える樹々はジャングルの様相で、いかにも熱帯だ。ターミナルで下車した瞬間、むっとする熱気を肌に感じた。

一行は、例にならってＹＭＣＡにチェックインする。新しい建物で、さぞ中も立派なのかと思いきや、あてがわれた部屋は旧館にあたる部分で、電気スタンドもないような暗い部屋だった。細野をのぞく三人は、とりあえずハンバーガーの昼食がてら、雨上がりの市内を見物した。もうすでにクリスマス商戦の始まったなかで、宇津木はオーダーメードのクリスマスカードを注文している。一方、細野は、シャワーを浴びて洗濯を済ませ、さらに手紙を書いてから、街に繰り出す。こちらもハンバーガーで腹ごしらえし、ドラッグストアで買い求めた地図を頼りに、散策を開始した。少し心細くなるほど荒廃した黒人住宅地を通り、南に歩ききったところで、市電の車庫があった。近辺から乗車し、街に引き返す。到着時、細野はニューオーリンズを、それまでで「もっとも美しい街といっても過言ではない」と感じたが、ここでも醜いジム・クロウ法は、しっかりと効力を発揮していた。

一〇セントを支払って乗車すると、「後部に黒人、前方に白人」という掟が守られている。ルイ・アームストロングを生んだジャズ発祥の地ニューオーリンズは、その頃からすでに「黒人文化」が重要な観光資源のひとつであった。その証拠に、細野が繁華街に戻り、フレンチ・クオーターを目ざしてバーボンストリートを下っていくと、夜な夜なジャズを演奏する店が立ち並んでいる。まだ早い時間だったために、ドラムやそのほかの楽器が置かれる様子が外から見えた。そのような黒人文化の中心地であるにもかかわらず、いまだニューオーリンズの一級市民として扱われない人々の悲哀は、いかほどのものだったのだろう。奴隷制の落とす長い影は、一九六一年の異邦人の目にも明らかだった。ほぼ一〇〇年経ってこうなのだから、奴隷制下のニューオーリンズは、一体どのような場所だったのか。昔の旅人の記録に、手がかりを求めてみる。

奴隷解放前の南部

イギリス、ブリストル出身のジョン・ベンウェルは、一八五三年、『イギリス人によるアメリカの旅――自由州と奴隷州における生活と振る舞いの観察』(*An Englishman's Travels in America: His Observations of Life and Manners in the Free and Slave States* 未邦訳)を出版した。奴隷解放宣言の、ちょうど一〇年前だった。題材となった旅そのものは、さらにさかのぼる一八三〇年代末から一八四〇年代初頭にかけて、四年間にわたり行なわれた。熱心な奴隷制廃止論者だった彼は、ニューヨーク、オハイオ、ミズーリの「自由州」、つまり奴隷制が廃止されている北部で過ごした後、ルイジアナ、フロリダ、サウスカロライナなど南部の「奴隷州」を旅してまわった。自らの目で観察し、奴隷たちのおかれた窮状を広く世に知らしめることが目的だった。

ベンウェルは蒸気船でミシシッピ川を下り、ニューオーリンズ入りした。彼が「奴隷制と放《ほう》蕩《とう》の中心」と形容したその街では、最初から衝撃的な光景が目に入る。埠頭にて、四、五〇人の、さまざまな年齢の黒人男性、女性たちが、鎖に繋がれた状態で、灼熱の太陽の下、肉体労働に従事していたのだ。彼らは逃亡に失敗して捕まった奴隷だ。監督するのは長身の黒人男性で、なんとも重そうな鞭《むち》を、手慣れた様子で労働者に打ちつける(ここに奴隷制において、常に白人だけが加害者だったという構図は崩れ去る。もちろん残酷な使命を課されたという意味では、彼も奴隷制の被害者である)。

ベンウェルによると「頑丈な男性、ほっそりした若者、か弱く衰弱した女性など」が、皆同様に、容赦なく鞭を打たれる。ベンウェルの乗った蒸気船の到着が周囲の注意を引き、一瞬の間、労働者たちの手を止めた。すると作業の中断に激昂《げきこう》した監督官が、さらなる鞭の猛攻撃を開始する。乗客の多くは北部の自由州出身で、目の前で繰り広げられる虐待に驚き、叫び声を上げる者もいた。船長は、騒ぐと上陸を拒否されて船を引き返さなければならなくなる、大人しく見て見ぬふりをしていてくれと、乗客に伝えた。ベンウェルは、最終的には船長が正しかったことを認める。自由州から入港する船には、たいていスパイが送り込まれており、奴隷制に異議を唱えるような人物がいるとわかると、尾行して、その行動を事細かく監視されるというのだ。

この街が「家畜のように扱われる幾多の奴隷の血と涙によって」築かれているというベンウェルの確信は、滞在中、さらに強くなっていった。たとえば農作物を売る市場には、至極当然のように、奴隷の矯正施設が併設されている。そこに奴隷主が手に負えないと判断した面子が送り込まれ、拷問まがいの仕打ちを受けるのだ。鞭を打つほうは、大抵、ぎりぎりのところで手を緩める術を熟知していた。殺人という大罪を犯さないため、というよりは、奴隷を死亡させたり、再起不能の怪我をさせてしまうと、奴隷主に莫大な賠償金を払わなければならないため、死者を出すわけにいかないのだ。

このほかにも、見るもの、聞くものすべてが、ベンウェルのニューオーリンズへの嫌悪感を募らせた。数あるホテルの周りには、奴隷商人や、プランテーション経営者がたむろしている。彼らはギャンブル施設を備えたサルーンの有閑常連客だ。そして、そのような金持ちに囲われる、アフリカ系の祖先をもつ女性の姿も、この街では目にすることが多かった。一九世紀初頭まで続いたフランスやスペイン統治時代のニューオーリンズでは、プラサージュ(plaçage)といって、黒人女性と白人男性の内縁関係を認める慣習があったことが、その背景にある。囲われた女性たちは「黒人の血を四分の一もつ」という意味で、現代では差別用語になり得るクワドルーン(quadroon)と呼ばれ、独自の、特殊な階級を形成していた。ベンウェルは、美しく着飾り、眩いばかりの宝石を身につけたクワドルーン女性が、バザーで浪費する姿を目にしている。だが貢がれる生活の終わりは、ある日突然やってくる。女性は、飽きられたり、美貌が薄れ始めたりすると、島流しのように遠くに送られ、労働者としての第二の人生を余儀なくされることも多かったという。そんなクワドルーンが、南部一帯に散らばっていることを、ベンウェルは聞き知っており、煌びやかな姿に目を奪われつつも、その幸福とは言い難い従属関係を憐れむのだった。

「ニューオーリンズ作家」ハーン

ベンウェルが滞在した頃のニューオーリンズは治安も悪く、さらに黄熱病の流行があった。よって彼はこの街での滞在を早々に切り上げ、フロリダに向かっている。だがそれとは対照的に、ニューオーリンズの魅力にどっぷりとはまった、同じくヨーロッパからの訪問者もいた。「小泉八雲」になる前の、ラフカディオ・ハーンだ。彼は一八七七年一一月、二七歳で、この街にやって来た。「漂流してきた」という表現のほうが、適当かもしれない。

ギリシャ人の母と、アイルランド人の軍医のあいだにレフカダ島で生まれたハーンは、幼い頃両親に捨てられ、父方の大叔母に預けられた。イギリスやフランスの寄宿校に送られ、ロンドンでも生活するが、どこにも居場所を見つけられずに、一九歳の時、オハイオ川交易で好景気の真っ只中にあったシンシナティにやって来る。ハーンはそこで新聞記者として、下層社会を扱ったセンセーショナルな記事で知られるようになる。その一方で、後に翻訳を手がけることにもなるフランス文学など、興味をもった分野は、独学で徹底的に探求するという姿勢を確立した。元奴隷で、ハーンと同様、アイルランド人とのミックスでもあったアリシア（マティ）・フォリーと出会い、短い結婚生活も経験している（当時勤めていた新聞社「エンクワイアラー」は、ハーンの「黒人」との結婚を認めず、解雇処分にしている）。結婚の破綻もあり、新たな居場所を探す放浪の旅に出て行ったすえが、ニューオーリンズだったのだ。

ニューオーリンズ入り直後、ハーンは「シンシナティ・コマーシャル」紙に、最初の印象をレポートしている。一八七七年一二月一〇日に掲載されたその紀行文からは、旅人が未知の街で感じた期待と興奮が感じとれる。ハーンは綴る。

ニューオーリンズの第一印象を説明するのは、容易なことではない。実際、地球上のどこにも似ていない。だがその一方で、それは数多の場所の記憶を蘇らせる。イタリアやスペインの町、イギリスやドイツの都市、地中海、そして熱帯の港の面影が、ここにはある。堂々としたファサードが特徴の、広大なカナルストリートは、ロンドンのオックスフォードストリートやリージェントストリートを連想させる。フレンチ・クオーターには、ル・アーブルやマルセイユが見える。ジャクソン・スクエアには、スペイン統治下の南米を旅している気分にさせる建物がある。ニューオーリンズが外国人にとって魅力的なのは、たんに熱帯の街の美しさのためだけではなく、この稀有な持ち味によるものではないか。訪れる人は、この三日月型の街に、故郷の名残りや思い出、また愛する何かの記憶を、見出すのかもしれない。

プルーストのマドレーヌのように、過去の記憶を蘇らせるニューオーリンズの不思議な魅力に、ハーンは虜《とりこ》になった。そして結局、一〇年ものあいだ、そこに留まったのだ。その間、さまざまな新聞や雑誌に掲載された膨大な執筆物は、ジャンル別にまとめられて『ニューオーリンズの創造――ラフカディオ・ハーンの著作』(*Inventing New Orleans: Writings of Lafcadio Hearn* 未邦訳)として、二〇〇一年、ミシシッピ大学出版から発表されている。これは日本関係の著書の評判ばかりが先行しているハーンの、「ニューオーリンズ作家」としての功績に、正当な評価を与えたいと感じたS・フレデリック・スターが編集した作品集だ。記事のいくつかには、アマチュア版画家でもあったハーン自身の手による挿絵も添えられている。

面白いことに、この本の編集者であるスターは、文学者でもなければ、アメリカ史家でもない。学者ではあるが、専門地域はロシアと中央アジア、コーカサス、アフガニスタンなどで、歴代の大統領のアドバイザーを務め、ワシントンDCとストックホルムにオフィスをおくシンクタンク、CACI(Central Asia-Caucasus Institute 中央アジア・コーカサス研究所)の創設者兼会長でもある。なぜ、かような人物が、ハーンの、それもあまり知られないニューオーリンズ時代の作品に心惹かれたのか。まず、ジャズ・クラリネット奏者として世界をツアーするほどの腕をもつ彼は、チューレーン大学副学長としてニューオーリンズで暮らしたこともあるために、この街を熟知している。さらに、スターはハーンとオハイオ川の向こうの縁でも繋がっている。ハーンがジャーナリストとしてのキャリアをスタートさせたシンシナティから近い、私の父も学んだオバリン大学の学長を、一九八三年から十年あまり務めていたのだ。

いくつもの異なるレベルでハーンを理解するスターによれば、その天才は、まず彼の綿密な観察眼にあるという。だがそれだけではなく、ハーンは観察したものを、より大きな文化的特性に結びつけることに長けていた。とくにニューオーリンズ時代は、「近代化」という不平等なプロセスの真っ只中に、「善」と「悪」に二分化された世界を、くっきりと線描画のように描くスタイルをつくりあげたことから、作家としての分岐点だったと解説する。一方には地中海ヨーロッパ、アフリカ、先住民の要素が混ざり合って織りなされる、ルイジアナ土着のクレオール文化がある。それは穏やかで、審美的で、官能的、かつ繊細で色彩豊かな社会だ。だが他方では、冷たいアングロ・サクソン世界の物質信仰が見え隠れする。「悪」を象徴する、ハーンの父の世界からやって来た資本主義の魔の手は、母の属する「善」の世界にも迫りつつあるのだ。彼の作品に登場するブードゥー教呪《まじな》い師、ミノルカ島出身のフェンシングの名手、デミモンドの娼婦たちが織りなす社会構造は、産業革命の象徴のような巨大な繰綿《くりわた》プレスのひと押しに遭えば、一瞬にして破壊され、失われることだろう。不吉な予感のなかに、古く、はかない、消えゆく世界が、より美化されて、読者の想像のなかに広がる。

スターは断言する。ハーンは、現代のニューオーリンズ市民、ルイジアナ州民、アメリカ人、そして世界中の人がイメージする「古き良き」、「本物」の、「美とエロスの支配する」、「無垢な」ニューオーリンズを、その筆で創った、と。一九世紀建築の中庭、クレオール料理を出す食堂、マルディグラのどんちゃん騒ぎ。消えてなくならないうちに、そのような「本物」のニューオーリンズにしかない異国情緒を経験しておこうと、観光客は躍起になる。あたかも「お開き間近の宴を楽しもう」とするがごとくに（もちろんそのような宴は、とっくの昔に終わっている可能性もあるのだが）。

ハーンがその構築に貢献したニューオーリンズのイメージを、ロマンチストの懐古主義と切り捨てることは簡単だ。だが、そうも言ってはいられない。というのも、ハーンはニューオーリンズで完成させたのと同じ方式を、近代化の波が押し寄せる明治日本にそのまま当てはめ、そこでも成功させたからだ。一八八七年、三七歳になったハーンは、ニューオーリンズを去った。終生の住処《すみか》となる日本に着いたのは、仏領マルティニークでの滞在を経た後の、一八九〇年のことだった。

そこで彼が創り出した、美しく、失われつつある「古き良き」日本の面影は、二一世紀に住む我々とも、決して無縁ではない。意識していないだけで、その影響力は計り知れない。スターは現代において、「文学的イメージ」こそが、経済活動や歴史を含む社会構成要素のすべてを凌駕《りょうが》し、「現実よりも「現実的」な現実」として、人々の心のなかに宿るのだと指摘する。ハーンが、そのぶれない詩的、文学的美意識を機軸に表現した「消えゆく日本」には、蟬やコオロギの鳴き声、豆腐売りのラッパの音、そしてさまざまな霊が共存している。たしかにそのような日本の面影は、最強の文学的イメージとして、我々のなかに植えつけられているではないか。郷愁を掻き立て、万人の感性に響く文学的イメージの延長に、国内はもとより、海外でも人気のある谷崎潤一郎の『陰翳礼讃』や、宮崎駿監督の『千と千尋の神隠し』があり、さらなるその先には、メキシコの奇才ギレルモ・デル・トロ監督が描く、幻想に満ちた世界があるのだとも考えられる(デル・トロ監督は、ハーンが自作に与えた影響を、インタビューで公言している"Guillermo Del Toro talking about Kwaidan by Lafcadio Hearn" https://www.youtube.com/watch?v=2IfNkHUDCi0)。

奴隷制のまたの名

ハリケーンのつめあとと「産獄複合体」

一九六一年の旅人たちにとって、ニューオーリンズは、「とりあえず見物しておくべき観光地」という位置づけだった。当初より時間がかぎられていたが、到着日は天候にめぐまれなかった。単独行動をしていた細野は、絵葉書を買い求めたり、写真を撮ったり、昔日本を旅したことのある老人に声をかけられ話しこんだりと、街の雰囲気を満喫していた。だが雨が降り出す。止みそうにないので、雨の雫とともに「異国情緒をひしひしと」感じながら、ＹＭＣＡに戻った。その晩、天候はますます荒れて、雷まで鳴り響く。細野は早めに夕食を済ませていたが、あとの三人は夜の外出の機会を逃し、おやつに買ったポテトチップスで空腹を凌ぐことになった。それでも金欠の身の道中、思いがけぬところで、予算の微調整ができた。旅も終盤になるにつれ、この節約法が活躍するようになる。

この晩の雨も相当だったようだが、二〇〇五年八月末、ニューオーリンズを襲ったハリケーン・カトリーナは、次元の異なる勢いで、壊滅的な被害を及ぼした。アメリカの都市災害として最大級だったこのハリケーンは、一六年経った現在でも、その復興にまつわる諸問題が議論されている。吹き荒れる嵐は洪水防御システムをなぎ倒し、街の八〇パーセントを浸水させ、一一万軒以上の家屋を破壊した。細野は日記で、「茫洋たる湿地帯」のように見えるこの街に激しい雨が降れば、「すぐに洪水になるのではないか」と心配しているが、その予想が倍増されたスケールで的中したのだった。

そしてここでも避けて通れない問題として、「人種」が頭をもたげる。このハリケーンで、黒人家主の家屋が浸水する確率は、白人の家の三倍以上だったとされる。反対に、街の白人の収入は、黒人の三倍だ。浸水率の差は、たんなる偶然ではない。高台の浸水しにくい土地には、富裕層の白人住宅が多いという事実を、鏡映しにした結果だ。復興に注がれる公金も、観光資源となる歴史的建築物の集まる地区に優先され、非白人の貧困層が締め出しにあったとする批判がある。それを示す数字もある。カトリーナ以前は、およそ三三万人の黒人がニューオーリンズに住み、街の全人口の六七パーセントを占めていた。だが二〇二〇年の時点で、この数字は二三万人にまで落ち込んでいる(同期間の白人人口には、目立った変動はない)。これはニューオーリンズ全人口の縮小率をはるかにしのぐもので、現在、街の黒人人口の割合は、六〇パーセントを下回っている。

ハリケーン・カトリーナは、人種間の経済格差や住まいの問題だけではなく、アメリカ社会の抱えるもうひとつの大きな不均衡を浮き彫りにした。黒人の大量投獄問題だ。人権NGOヒューマン・ライツ・ウォッチ所属のアナリスト、ブライアン・ルートは、「黒や褐色の肌をもった人間にとって」、「いかにアメリカの刑事司法制度が残酷になり得るか」を、カトリーナが証明したと、二〇二〇年、災害の一五周年に寄せてレポートしている(“Hurricane Katrina in the US, 15 Years Later” https://www.hrw.org/news/2020/08/29/hurricane-katrina-us-15-years-later)。迫り来る嵐のなか、オーリンズ教区刑務所の囚人が、水や食べ物はおろか、換気の乏しく逃げ場のない監禁状態で置き去りにされた。彼らは飢えだけでなく、有毒な工業水が、刻々と胸の高さまで押し寄せる恐怖を体験したのだった。四日後に看守が戻り、残っていた人々が、異なる刑務所に避難させられた。だが五一七名の囚人が、移動の際の避難者リストに載っておらず、行方不明のままだ(おそらく溺死したものと考えられている)。避難できた人の安堵も束の間だった。移送先の刑務所では、スタッフによる虐待が待ち受けていたのだ。その様子は、ベンウェルの記録した奴隷矯正施設を彷彿とさせる。さらにやるせないのは、収容されていた男性の多くが、不法侵入、公衆酩酊、無秩序行動などの軽犯罪で収監され、有罪判決はおろか、裁判で起訴される前の、「受刑者」以前の人々だったことだ。そしてそのほとんどが、黒人なのだった。

エイヴァ・デュヴァーネイ監督による二〇一六年公開のドキュメンタリー映画『13th 憲法修正第一三条』は、「大量投獄」や「過剰収容」、そしてそれを促進する「監獄産業」という、アメリカ特有の問題に焦点を当てる。冒頭シーンでは、オバマ大統領が演説中に、驚異的なデータを引用する。アメリカ合衆国人口は、全世界人口の五パーセントに過ぎないが、刑務所人口は、その二五パーセントを占めているのだと。そして歴史的にも、社会的にも、検挙の第一標的であり続けるのが、マイノリティー、とくに黒人コミュニティだ。二〇一八年の統計によると、アメリカの全人口から見た成人黒人の割合は一二パーセントだが、国全体の収監人口となると、黒人の割合は、三三パーセントにまで跳ね上がる。

なぜそこまで黒人の収監率が高いのか。その起源は、南北戦争直後までさかのぼる。その頃から刑務所労働が、奴隷制の代替として使われるようになったのだ。解放され自由な人間となったはずの元奴隷を、何かと理由をつけ犯罪者として捕縛することは、奴隷制廃止を受け入れられない南部諸州の支配層にとって、低賃金労働を確保する姑息な裏技だった。それは安易に黒人を犯罪者として捉える風潮を生み、以降、まさに『アラバマ物語』でアティカス・フィンチが糾弾した「黒人が不道徳」だという、白人主流社会の「邪悪な仮定」を助長し、固定観念化するにいたった。

「邪悪な仮定」がもたらした最悪の例のひとつに、ちょうど一〇〇年前の一九二一年、オクラホマ州で起こった「タルサ人種虐殺事件」がある。確証のない「黒人による性犯罪」の報に暴徒化した白人が、比較的豊かな黒人コミュニティを壊滅させた事件だが、そのおぞましい実態は、長い間知られていなかった。

レーガン政権期になると、民営化の波が押しよせ、監獄までもが民営になる。それがアメリカ経済における刑務所労働の奇妙な重要性を、決定づけた。巨大企業が投資する「産獄複合体」(ＰＩＣ：Prison Industrial Complex)施設が建設され、大規模な「監獄ビジネスモデル」が生まれたのだ。車のライセンスプレートづくり、ハンバーガー用の肉を形成する作業、飛行機の電話予約受付など、ビッグビジネスは、さまざまな場面で安い労働力を求めた。その結果として、一九八〇年代以降、犯罪発生率の増加にともなう投獄ではなく、安い労働力確保のための、人種的に不均等で、場合によっては不当な投獄の増加が、まかり通ってきたのだ。言い換えれば、アメリカ経済は、少なくとも部分的には、肌色の濃い人々を犯罪人と決めつける歴史的、組織的、法的偏見と、その状況をアグレッシブに利用する企業や、その体制を許容し継続させようとする、保守派の政策立案者によって支えられてきたということになる。

一八世紀末、イギリスの哲学者ジェレミー・ベンサムが熱意を注いだプロジェクトに、功利主義的な刑務所の建設があった。旧網走監獄にも用いられているベンサム設計の「パノプティコン」(panopticon)は、円形をした建物で、受刑者を常時監視下に置くことを可能にした。だが中央にいる看守の姿は独房からは見えず、看守の人数も少数ですむので、受刑者に抑圧感を感じさせない。そういう意味で、すべての人に気を遣った設計になっていた。そのほかにもベンサムは、刑期中の労働の選択も含め、囚人たちが最大限に内省、反省を試みられるような環境づくりを提唱した。服役者の自力による更生こそが社会復帰への道を切り拓き、その後の幸福、そして社会全体の最大幸福をもたらすと信じていたのだ。それは今日のアメリカの人数ありき、

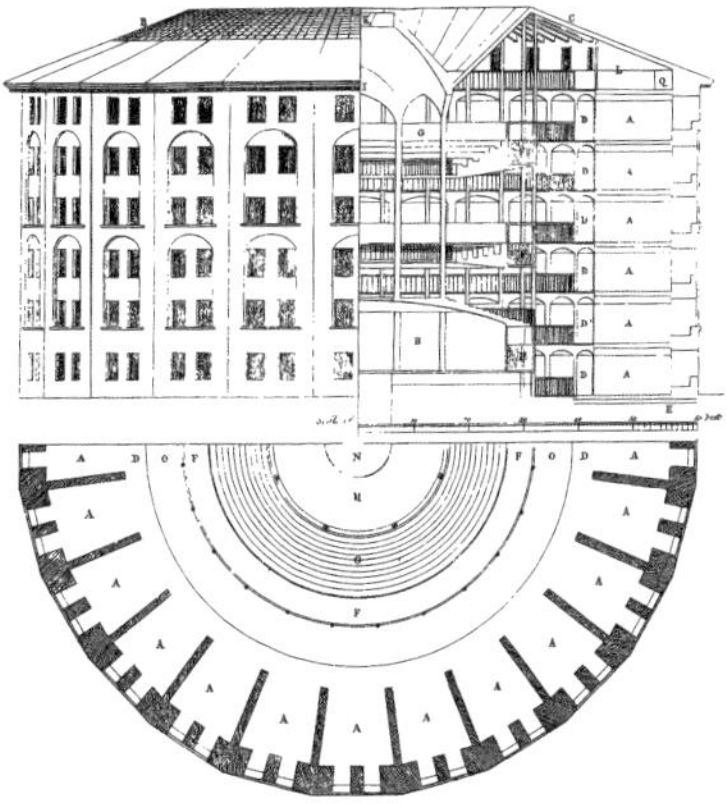

ベンサムによるパノプティコンの構想(図は18世紀のイギリス人建築家ウィリー・レヴェリーによる)

労働量ありきの巨大な産獄複合体ではとうてい望めない、あくまでも人間的な試みでもある。

刑務所のなかの高等教育

人種問題が絡むために、さらに難しくなるアメリカの大量投獄問題ではあるが、それでも一縷の望みがないわけではない。一部の刑務所では高等教育のプログラムが実施されている。ことの始まりは一九九五年、刑務所内の教育プログラムへの公的援助が打ち切りになったことだった。それを契機に、特定の私立大学や財団が、刑務所内の教育制度改革を独自に試みるようになった。数少ない大学レベルのプログラムのなかでも、バード大学がニューヨーク州内の複数の刑務所で開始した「バード・プリズン・イニシアチブ」(BPI：Bard Prison Initiative)は、パイオニア的な存在だ(このプログラムは、教員のボランティアや個人の寄付、またフォード財団や投機家で慈善事業に積極的なジョージ・ソロスからの援助で成り立っている)。

BPIの特筆すべき点は、参加者が修業すると、正真正銘の学士号が与えられることだ。と同時に、参加者の学力の高さでも、他のプログラムと一線を画している。二〇一五年にはBPIの学生が、ハーバード大学の弁論チームと対決し、見事勝利したことが全国区メディアで報道され、BPIはその知名度を一気に上げることになった。「負け犬」がエリートを打ち負かすという、絵に描いたような痛快、かつスリリングなサクセスストーリーは、「更生とはこうあるべき」という理想形のひとつを提示した。結果として、ドキュメンタリー映画の大御所ケン・バーンズの興味をも引き、彼の総括制作したシリーズは、二〇一九年アメリカ公共放送でお目見え放送された後、現在ではネットフリックスで広く視聴できるようになっている。刑務所内の生活や、学生の人物像に迫る四部構成の力作で、番組名は *College Behind Bars* ――安部譲二風にいえば、「塀の中の大学」とでもいうのか。

もう一〇年以上前になるが、私も頼まれて、この刑務所プログラムで歴史の講義をしたことがある。ニューヨーク市からハドソン川の西側を車で二時間ほど北上した山中に、目的の「イースタン更生施設」と呼ばれる刑務所があった。物々しいセキュリティーチェックを受け、鉄格子で区切られる廊下を抜けて通された部屋には、一〇人ほどの男性が、皆同じ、深緑色のつなぎの囚人服を着て、神妙な面持ちで待っていた。未知の雰囲気に一瞬、怖気付いた。だが議論を促し、発言を聞くうちに、こちらの緊張も解けてきた。その熱心さには、大袈裟でなく、心を打たれるものがあった。かぎられた時間を無駄にしたくない、という気概が感じられ、綿密な予習をしたことが明らかな質問も次から次へと放たれる。当初は「張り詰めている」と感じられた空気は、心地よい熱気に代わっていた。

なかでも一人の青年には圧倒された。淀みなく、膨大な語彙をもって課題を分析するその姿に、「ただ者でない」オーラを漂わせていた。気になったので、授業終了後、プログラム関係者に「彼は何者ぞや」と聞くと、ノーベル賞受賞者を多く輩出してきたことでも知られるニューヨーク市のエリート公立校、ブロンクス科学高等学校出身だということがわかった。仲間とつるんでいた際に、放火事件に何らかのかたちで関わり、刑務所送りになったとのこと。その青年を含め、学生は一見してアフリカ系と思しき人々だったが、なかには幼い時に家族に連れられて不法入国し、アメリカのパスポートを持たないまま収監されてしまったベトナム人青年や、ドラッグやアルコール中毒の蔓延する貧困地域出身の白人青年もいた。

そして、ひとくちにアフリカ系とはいっても、おそらくさまざまなバックグラウンドの人がいて、スペイン語を母国語とするヒスパニック系のルーツをもつ人や、ムスリムの人々などがいるはずだった。誰が何をもってして「黒人」と自己識別するのかは、正直、まったくわからなかった。だが目に見えてはっきりとしていたことは、プログラム参加者の「有色」率が非常に高いことだった。反対に、彼らを鋭い目で見守る看守たちの多くは、ローカルの、高等教育へのアクセスが困難な労働者階級出身と思しき白人、つまり脱工業化で取り残されたラストベルトの住民だった。

ＢＰＩの学生たちは厳しい選考を通過して、大学教育の機会を勝ち取る。刑務所内では一種の特権階級に属するものの、労働義務の免除などは一切なく、自由時間をやりくりして勉学に励む必要がある。そのうえ他の受刑者から嫉妬されたり、看守や自分の家族からも、冷ややかな目を向けられたりすることが多いという。ＢＰＩは、すべてボランティアや個人、財団など、民間の寄付によって成り立っているプログラムであるにもかかわらず、公の資金が投入されているという先入観が根強く、「犯罪者に使う金があるのなら、なぜ我々に使わない」といった、見当違いの怒りも向けられるそうだ。またそのような反応を一身に受けつつ勉学に励んでも、看守や、さらにはその上に立つ刑務所運営陣との関係がうまくいかなくなれば、突然プログラム参加権を剝奪されたり、学士号取得間近に、嫌がらせで、ＢＰＩプログラムのない別の刑務所に移動させられたりすることもある。学問以外の、心が萎えるような問題とも「塀の中の大学生」たちは、つねに向き合って過ごしているのだ。

リオグランデを越えて

アイビーリーグ・ファッションを求めて

一九六一年の旅人たちのニューオーリンズ二日目。とりあえず雨は止み、曇り空だった。四人は、マーケットで骨董屋を冷やかしたり、フレンチ・クオーターを散策したり、カフェ・デュ・モンドの路面席で、名物の四角いドーナッツ「ベニエ」を、これまた名物のチコリ入りのコーヒーと一緒に味わったりと、お決まりの「古き良き」ニューオーリンズを楽しんでいる。当時この有名店に、黒人は入れなかった。最初の黒人客による利用があったのは、リンドン・ジョンソン大統領が一九六四年、公民権法に署名した翌日の七月三日だった。一行は、ミシシッピ川を見物した後、市電に乗って中心部に向かっている。

今回も、途中で細野は三人から離れて単独行動をする。市電をそのまま乗り継ぎ、チューレーン大学とイエズス会系のロヨラ大学のキャンパスを見物するためだ。とくにチューレーンでは、ラフカディオ・ハーンの記念碑を探すが、見つからなかった。構内には椰子の木が植えられており、いかにも南国的な雰囲気である。この後いったんは宿に戻り三人と合流するが、夜になるとフレンチ・クオーターでジャズを聴きたくなり、細野はふらりとまた外に出ている。

カフェ・デュ・モンド(1966年撮影)

ストリップショーの勧誘もあり、強引で、うかうかしていると引っ張り込まれそうになる。バーボンストリートの小屋の前で、しばしジャズに耳を傾けた。すると隣の店から、学校の先輩、犬飼研介が出てきて細野を驚かせた。中高一貫校の栄光学園での縁である。奇遇の再会に話は尽きず、とりあえずカフェ・デュ・モンドでコーヒーを飲むことにした。犬飼は上智大学の仲間とともに、二台のマツダ360クーペに分乗し、夏から数カ月間をかけて全米を旅行中なのだという。仲間のリーダー格が、服飾メーカーVANの創始者で、アイビールックを日本に紹介した石津謙介の次男、祐介だった。

石津祐介の旅行記が、インターネットで公開されている。ほぼ同時期に、同年代の、四人の日本の男子大学生がアメリカを旅していたということになる(「IVY TOUR AROUND USA」http://www.ishizu.jp/gallery3/ivy3/i06_3/i06vol_1.html)。こちらのグループは、旅の準備に、ほぼ一年を費やしている。四人が在学していたイエズス会系の上智大学学長の許可を取りつけ、全米に散らばる同系列の大学から招待状をもらい、それを大蔵省に提示することで、苦労して外貨の持ち出しを許可された。そして移動には、当時はアメリカでまだ珍しかった日本製軽自動車を使うということで、大胆な試みだった。この四人もいくつかの大学訪問をしているが、そもそもVANがスポンサーとなって実現した旅だったために、とくに東部のアイビーリーグ大学では、学生たちがどのようなファッションを身に纏《まと》っているのかを、積極的に記録している。

それにしても細野と犬飼が、その晩、ニューオーリンズで互いを見つけたことは、面白い。二人の出身校である栄光学園もイエズス会系列であり、同窓の縁で繋がる日本の若者が、双方とも短期間しか滞在しなかったニューオーリンズで再会したのは、なんという偶然だろうか。私自身も、小学校から高校まで、イエズス会と縁の深い聖心会系列の聖心女子学院に通っていた。聖心会の北米における教育事業は、一八一八年、ニューオーリンズに到着したフランス人修道女聖ローズ＝フィリピン・デュシェーンによって始められており、そのため、この街の名前は、幼い頃から聞き知っていた。同じく聖心出身である私の母は、世界聖心同窓会の役員会出席のため、ハリケーン・カトリーナ襲来の前年に、ニューオーリンズを訪ねている。そのためこの街は、ローマと並んで、カトリック教会の影響がとくに色濃いイメージが私のなかにある。さらに個人的な感想になるが、旅のちょうど七年後の一九六八年一〇月に、両親は、上智大学に隣接する聖イグナチオ教会で結婚している。細野の日記を読み解きながら、そのようなカトリック繋がりで連なる想いが、頭のなかを巡った。やはりニューオーリンズには、ハーンが言ったように、人それぞれの故郷の記憶を蘇らせる、摩訶不思議な力があるのかもしれない。

栄光学園の先輩と後輩は、一時間ほどカフェで話し込んだ。帰りは犬飼が、例のマツダクーペで、YMCAまで送ってくれた。車中から細野は「スペイン系の顔立ちをした人」、「情熱的な美人」、「また黒人と白人の混血でちょうど中間的な肌色」の女性を、次々と観察している。宿に戻ったものの、これで就寝、とはならなかった。ひととおりの観光が済んだので、一行は予定を変更して、深夜の急行バスに乗り込むことにしたのだ。バスターミナルに到着すると、移民局の係員に、パスポートを提示するよう要求された。サンフランシスコでも似たようなことがあったので、おそらく港町では必然的に人々の出入りに敏感になるのだろうと、細野は推察している。

テキサス最西端の街エルパソ

港町でこそないが、次の目的地も、移民局とは切っても切れない土地だ。エルパソは、アメリカにおける移民、それも不法移民のナラティブに深く食い込む、テキサス州最西端の街である。それは、リオグランデ川で区切られた国境近くの、一時期メキシコの首都でもあったチワワ州フアレズから、わずか九マイルの場所に位置している。リオグランデ川を泳ぎ、アメリカに渡ろうとする移民は減らない。そして数知れぬ人々が、穏やかに見える水面下の激しい渦に巻かれ、命を落とし続けている。かつて逃亡奴隷たちが追っ手を逃れ、オハイオ川を決死の思いで渡ったように。

またエルパソは二〇一九年八月三日、市内の大型スーパー、ウォルマート店舗内で、白人至上主義者の若者が銃を乱射し、買い物客ら二三人を殺害するという衝撃的な事件があった街でもある。銃乱射事件が多発するアメリカでも、この一件は、メキシコを始めとする南米からのヒスパニック移民を標的にしたヘイトクライムということ、そしてそれがトランプ政権による不法移民家族の隔離収容や、国境の壁建設、「ゼロ・トレランス」などの政策に続くことになった犯罪ということで、私の記憶のなかで際立っている。犯行実施前に出されたオンラインの予告声明には、犯人の混乱した思考が垣間みえる。その二一歳男性は「ヒスパニックによるテキサス侵略」に憤怒し、古き良き、無垢な「白い」テキサスが失われていくことを嘆く。それを取り戻すために、移民らしき人々を殺すのだという。これは歴史的にみても、まったくお粗末な主張だ。テキサス州は、一八三六年までメキシコの一部だった。そしてメキシコから独立した後も九年間、一八四五年にアメリカ合衆国に加盟するまで、独立した共和国であり、さらに南に領土をひろげようとする、拡張主義的性質をもった国家だった。一方的に「ヒスパニックによる侵略」を糾弾するには、何かと史実に歪曲のある、想像上の「白い」歴史を、犯人は信じていたのだ。

いずれにせよ、テキサスは広大なことに間違いはない。四人が乗った急行バスがエルパソに着くまでには、二泊を含む、一日半にわたる長時間の乗車を要した。最初の晩は、概して寝不足に悩まされたようだ。宇津木の斜め後ろに座る、若いフランス人カップルが原因だった。周囲の目を気にしない二人のいちゃいちゃぶりに宇津木は相当苛立ち、日記に残している。気になったのは宇津木だけではなく、「横に居る堀田、増尾両君は寝つきの悪い夜らしい」とあり、細野も自分の日記に「たいへんお熱くキスを繰り返し、その度に発せられる音で完全に眠りを妨げられた」と書いている。

多彩な顔ぶれの乗客

苦しい夜が更け、翌朝七時、ルイジアナ州レイクチャールズで、朝食ストップが入った。ここでも休憩施設が分離されている。バスがテキサスに入ると、州の一大産業である石油精製所の輪郭が白く浮かび上がってくる。それからは数分ごとに石油タンクの密集地帯を通り過ぎ、その合間には、ひたすら荒涼とした土地が続く。昼食はヒューストンだった。だが大都会に来ても、休憩施設はいまだはっきりと人種分離されており、旅人たちをがっかりさせる。果たしてこの不快なパラレルワールドは、いつまで続くのだろうか。肌色による差別だけでなく、車窓から見える景色も、ますますワンパターンだ。原っぱが延々とひろがる。細野は「果てしない大平原で、山はどこにも見えず、太陽はまるで海に沈むかのように地平線の彼方に没した」と記す。日が落ちれば、単調な景色さえ拝めない。星と半月の光の下に、四人の乗ったバスは、一台、また一台と、他の車を追い越して行く。その都度、運転手は、ライトを消して合図を送る。いやはや、なんとも退屈だ。

フォートワースのターミナルで夕食を済ませる。ここで細野はトイレを使ったが、なかの壁には「JAPAN」、「OPPAMA」、「SASEBO」といった落書きがあった。一九四一年以降、フォートワースは軍事航空訓練学校や、航空基地の街として機能してきた。朝鮮戦争で日本に駐屯していた兵士の出入りも多く、彼らが出身ベースを記録したものと思われる。トイレを利用するには一〇セント硬貨が必要だったが、周りのガソリンスタンドの看板を見ると、一ガロン（約四・五リットル）二〇セントと表示されている。当時のアメリカのガソリン平均価格が一ガロン三一セントだったことを考えても、格段と安い。さすがテキサスは石油の本場だと、唸らされる記録だ。

バスに戻るとあとは寝るだけだが、それにはまだ早い。宇津木は暇にまかせて、乗客を観察することにした。ここで初めて、自分たちと同じ乗り放題チケットを利用する客を見つける。外国人向けで、それも若者の利用を念頭においたチケットではあったが、使っているのは宇津木の前に座る老夫婦だった。二人のあいだに会話らしい会話はなく、一言も発せずに、ゆっくりと寝支度をしている。それとは反対に、宇津木の隣の席の老女性は周りに話しかけ、間断なくお喋りをしている。彼女の耳障りな話し声をものともせずに、読書に夢中になる青年や、熟睡しているその友人、フィリピン人の水兵、子供連れの若い母親、運転手にしばしば話しかける中年婦人など、多彩な顔ぶれだ。

二度目の夜がなんとか過ぎ、車外の景色が戻ってきた。驚いたことに、道の両脇に積雪を確認できた。遠くの山脈も、雪化粧をしている。エルパソの標高は一一四〇メートルあるのだ。そして午前九時三五分、バスはようやく目的地に到着した。ターミナルでは英語とスペイン語の両方で、アナウンスが流れてくる。ぱっと見ただけでもネイティブ・アメリカン、メキシコ人、黒人、白人といったように雑多な「色」がごちゃ混ぜになっており、ここに来てやっとジム・クロウ法の呪縛から解放された感があった。この文化の交差点のような面白い街で一泊しようと、一行はターミナルに隣接するＹＭＣＡを訪れる。だがそこは軍関係者専用ということで断られ、予定の見直しを迫られた。結局、バスの旅を続けることになる。フェニックス経由でフラッグスタッフへ向かい、グランドキャニオンを見物するのだ。出発は午後だったので、しばしの間、寒さに震えながらエルパソ散策を楽しみ、ランチには、メキシコ料理を試す者もいた。

バスでのある情景

期せずして、三日連続の長距離バス乗車となった。臀部への負担も大きかったが、フェニックスへ向かう道中では、車内でなかなか面白い社会見学をしている。途中の停留所で白人の兵士が乗ってきて、黒人女性の隣に座ったのだ(そもそもその黒人女性も、道中、差別の根強い州では「白人優先席」とされる前方席に座っていた)。男性は、女性の荷物の上げ下ろしを手伝ったりして、気軽に話し始める。宇津木によれば「良い仲になった」ということだが、細野は純粋に、暗黙の差別がようやく終わったことを実感し、胸を撫で下ろしている。

この白人兵と黒人女性の情景が、私のなかに連想させる強烈な文学的イメージは、ジョージア州出身の作家フラナリー・オコーナーによる短編『高く昇って一点へ』(*Everything That Rises Must Converge*)の一場面だ。偶然にも一九六一年、短命だったが伝説的な文芸誌「ニュー・ワールド・ライティング」に初出した作品だ。個人的にも、私がアメリカの高校の授業で最初に読まされた英語の短編小説ということもあり、印象深い。主な登場人物は、南部に住む白人の母と息子だ。

作家志望で、大学を卒業したての青年ジュリアンは、ＹＭＣＡの減量クラスに通う母親に、付き添いを頼まれる。治安が悪くなり一人でバスに乗りたくない、というのがその理由だ。「人種間の棲み分けは必要だ」、と公言する母親には、自分が差別的だという意識は、微塵《みじん》もない。だが若いジュリアンにしてみれば、彼女は紛れもない人種差別主義者である。それだけでなく、母親はガス代の工面にも気を遣う身でありながらプライドだけは高く、過去の疑わしい栄光にすがる傾向がある（たとえば自分の祖父が、かつて二〇〇人の奴隷をもつ農園主だったことを自慢にしている）。ジュリアンはそのような母親を内心恥じながらも、バス通いに付きあう。だが車内で彼は、黒人の隣に座ることを決意する。あたかも「自分は違う」ということを、母親に、世間に、そして自分自身にアピールするかのように。さらにジュリアンは、隣の黒人男性との会話を試みる。タバコの火を貸してもらうことで親しくなるきっかけを摑もうとするが、一向に相手にされない……。

ストーリーでは、その後にどんでん返しがある。だがここで重要なのは、旅の道中に記録された白人兵士の振る舞いが、ジュリアンがバスでとった行動に、被《かぶ》さるように思える点だ。もちろんグレイハウンドバスの兵士の真意はわからない。だが短編の出版とバスの旅、ともに六〇年を経過した現在、創作上のキャラクターと実際にいた人物を、このようなかたちで私が合わせて考え、記録している。そのことから、文学や人生の味わい深さを、勝手に堪能させてもらっている。

日本初の「プライバシー裁判」

同時代の日本で

オコーナーの短編といい、リーの『アラバマ物語』といい、四人の旅した時代のアメリカでは、社会問題としての人種差別を扱った秀逸な文学作品が出現し、注目されるようになっていた。それは数年のうちに到来する、公民権運動の大きな盛り上がりを予感させるものでもあった。文学が社会に問題提起する、という点においては、同時期の日本でも、似たような現象が起こっている。それは一九六一年三月、元外相の有田八郎が、三島由紀夫と新潮社を相手取った訴訟を起こしたことで始まった。前年の一一月、三島の『宴のあと』が単行本として出版されたが、その登場人物のモデルとなった有田が、「プライバシーを侵害された」と告訴に打って出たのだった。

三島作品を難しいと感じ、苦手意識をもっていた私がこの小説を知ったのは、有田に、近代史研究の観点から興味をもったからだ。一九四一年八月一日、元外相は、書簡で近衛首相に苦言を呈している。アメリカとの外交交渉中に、南部仏印進駐を許すべきではなかったと。対する近衛の返信は、典型的な責任逃れに終始している点で、悪名高い。「矢は弦《つる》を離れたる形にて、もはや如何《いかん》ともする能《あた》はず」とのことだった。この時期の政策決定過程をリサーチするなかで、外交のプロとして、筋の通った発言をした有田の私的領域が、どのように侵害されたのか（またはされなかったのか）、自分で判断してみたいと思ったのが、この作品との出会いだった。三島の小説は、妻を亡くした大臣経験者の野口雄賢と、高級料亭のマダム福沢かづの恋愛をめぐり進行する。二人は結ばれるもの、やがて相容れない価値観が、野口の東京都知事立候補によって決定的になり、彼らの「宴」は終焉を迎える。

話の大筋は、有田と料亭「般若苑」の女将、畔上輝井《あぜがみてるい》の出会い、結婚、有田の東京都知事選立候補、落選、結婚の破綻という実際にあった出来事を、たどっている。ありとあらゆる設定や場面が、有田の私、公生活をまたいでオーバーラップしていることはたしかで、そのことを三島は否定していない。問題は、有田の訴えた「プライバシーの侵害」と、三島の作家としての「表現の自由」の境界線が、どこで引かれるべきかという点だった。作品が読者を惹きつけ、その世界に引き入れるほどに、作者が「創作特権」の名のもとにつくりあげたフィクション部分が、真実とごちゃ混ぜになる。事実でなくとも、「本当にあったかもしれない話」として、世に受け止められる可能性が高くなるのである。たとえばこの小説に描かれる、本人たちにしか知り得ない、非常に個人的、つまり「プライベート」な男女間の駆け引きが、あたかも実際にのぞき見して得た情報のごとく描写され、思い込みの「事実」としてひろまるということは、十分に考えられるのだ。

一九六四年九月二八日、東京地裁は、原告の訴えを認めるかたちで、著者と出版社に八〇万円の支払いを命じた。「私生活をみだりに公開されない」という権利が侵害されたという法廷の判断だった。控訴によって、さらに裁判が長引くかと思われたが、翌三月に有田が死去したことで、最終的には和解が成立した。よって四年越しの『宴のあと』論争は、竜頭蛇尾に終わった感がある。それでもこれがきっかけで、「プライバシー」という概念が広く知られ、日本の社会に浸透し、市民権を得るきっかけとなったことはたしかだった。

ここで面白いのは、日本におけるプライバシーへの目覚めが、同時代のアメリカにおける公民権運動への目覚めと、並行展開されているようにみえる点だ。実はプライバシーも、公民権も、ともにアメリカ民主主義に源流をもつ、本質を同じくする問題なのではないか？ そこには、すべての人の「人権」や「自由」をどう守るべきか、という合衆国建国以来の課題がある。アメリカと日本、そして一九六一年と今を繋げる意味でも、この問題について、少し立ち止まって考えてみたい。

「プライバシー」という概念が登場したのは、一八九〇年、学術誌「ハーバード・ロー・レビュー」に掲載された、ルイス・ブランダイス判事によるエッセイ「プライバシー権」(*The Right to Privacy*)だとされている(便宜上、元同僚のサミュエル・D・ウォーレンとの共著として発表された)。そのなかでブランダイスは、プライバシーの権利とは、「放っておかれる権利」(the right to be left alone)であると主張する。なぜそのような権利が死守されるべきかといえば、その背景には、マスメディアの台頭があった。ブランダイスは「瞬間的に撮られた写真や、新聞社機構」が、「私生活と家庭生活の神聖なる領域に侵入」しつつあることを憂慮したのだ。そこで彼は、既存の法律が、個人のプライバシー保護の原則を提供し得るかどうかを、問題提起した。

実証するのに時間はかかったが、結果的にみて、ブランダイスの問いかけに対する答えは、

「し得る」だった。既存の法律、それも一七八九年発効の合衆国憲法こそが、「プライバシー」の概念を、その用語を使わずとも規定しているという認識が、とくに一九六〇年代、七〇年代の合衆国最高裁による一連の裁定により、受け入れられるようになっていった。

より大きな背景には、一九四八年に国連総会で採決された「世界人権宣言」にみられる、普遍的な価値観としての人権意識の高まり、さらにその伏線となった、第二次世界大戦における、ホロコーストを筆頭とする数々の悲惨なエピソードがある。世界人権宣言の第一二条では「何人も、自己の私事、家族、家庭もしくは通信に対して、ほしいままに干渉され、又は名誉及び信用に対して攻撃を受けることはない。人はすべて、このような干渉又は攻撃に対して法の保護を受ける権利を有する」としている。国連のオフィシャルな日本語訳で「私事」とされた部分は、原文では、まさしく「privacy」と明記されている。

歴史的な宣言の翌一九四九年に出版された、英作家ジョージ・オーウェルのディストピア小説『一九八四年』は、プライバシーという人権が侵害される、究極の監視社会を描いた。中央権力による私生活、とくに思想の領域への過剰干渉に警告を発したこの作品は、冷戦時代の西側世界において、「共産主義国家批判」として読まれる傾向があった。だがそれは、実際には政治信条とは関係なく、権力の肥大と関連して、どこにでも起こり得る問題だった。その顕著な例が、他でもない、民主主義の牙城であるはずのJ・エドガー・フーヴァー率いるＦＢＩ(Federal Bureau of Investigation 連邦捜査局)、ならびにその前身ＢＯＩ(Bureau of Investigation)だった。フーヴァーは、一九二四年から一九七二年に死去するまでの長きにわたって、ケネディやニクソンを含む政治家や活動家、有名人のプライベートな情報を収集し、それを膨大な極秘ファイルとして所有していた。傍受を含む大規模な諜報活動は、国家治安保全のためだけでなく、彼自身の権力死守と、FBI予算確保、そして収賄のために行なわれたことが、死後、判明している。フーヴァーは、まさに民主国家内の秘密警察を牛耳る「ビッグ・ブラザー」だったのだ。

善悪で二分化される世界

さらに二〇世紀も終わりに近づくと、プライバシー保護は、境遇や国境を超え、より多くの人を取り巻く早急な課題となっていった。インターネット普及のためだ。一九九三年、アル・ゴア副大統領が「情報スーパーハイウェイ」と銘打った、コンピューターネットワークで繫がる社会が、便利なだけでなく、恐ろしい可能性をもった諸刃の剣だと人々が気付くのに、そう時間はかからなかった。児童のオンラインプライバシー保護や、金融機関が所有する顧客データ保護は、アメリカでもいち早く連邦法が成立した分野だ。

それでも個々の国家や行政団体、企業が、「プライバシー権」と「表現の自由」、「知る自由」などの、さまざまな「自由」のあいだに明確な線を引ける領域は、かぎられている。よって、プライバシー侵害は行なわれ続ける。日本でも、またインターネットやソーシャルメディアの広まるいずれの国でも、あらゆる場面で問題が発生し続けることに、変わりはない。その延長として、近年のアメリカでは、トランプイズムに対する反動なのか、「ウォーク」(woke)な考えかたが、若年、青年層で支持され、バーチュアル社会で不穏なほどの影響力を行使し、現実の社会までつくり変えている。ウォークとは、人が社会問題、それもとくに人種、セクシュアリティ、ジェンダー問題について、「目覚めた」状態を指す。差別を問題視し、その廃絶を求める点では発展的であるが、行き過ぎた「ウォークな人々」が、バーチュアル社会の思想警察さながらに幅を利かせ、気に入らない意見を述べたり、問題提起したりする人を糾弾し、その存在ごと抹殺しようとする傾向が顕著になってきている。ウォーク思想警察の標的には、告発されて当然といった人もいれば、何が問題なのか曖昧だったり、とんだ曲解、誤解をされて、不当に吊し上げられる人もありで、さまざまだ。にもかかわらず、一度告発されれば、言語道断で釈明や議論は許されず、真実がますますうやむやになる。この世界の極刑は、告発対象を一方的に、徹底的に叩きのめし、鬱憤を晴らした後にはその存在そのものを「無視」イコール「キャンセル」することで、完結する。

ごく最近、ミシガン州に住む友人とのやり取りで、この魔女狩りのような風潮の恐ろしさを改めて感じた。友人の一四歳の娘さんが、学校新聞の記者をしており、まさに旬の話題である「キャンセル」カルチャーについて書いたのが、事の始まりだった。彼女は記事のなかで、二〇二〇年夏、「トランスジェンダー差別発言をした」と告発され、Twitter で炎上騒ぎになった『ハリー・ポッター』シリーズの著者、J・K・ローリングに触れた。そこではっきりと「自分は、個人的には同調はしないが、ローリングの意見にも一定の根拠がある」と述べたのだという。

ローリングの意見の全容はここでは省略するが、端的に言って、「女性」と「男性」という性差が存在するからこそ、同性愛や性同一性なども存在する、よって、根本的な性差を否定するのはよくない、という考えがあるようだ。だがこれまでにも「反トランスジェンダー」と捉えられる発言が物議を醸していたローリングは、ウォーク警察からすると、「デリカシーのない、毒気のある差別発言」を繰り返す有害人物にほかならない。その理由は、たとえば「男性」という自覚があるのに、「女性」の体に生まれついたトランスジェンダーが、月経などの生理的なくくりによって「女性」としてカテゴライズされれば、自分の存在すべてを否定され、傷つくというものだ。傷つけた人々に謝罪しろ、もしくは我々の前から消えろ、という声が増殖していったのが、この「論争」の運ばれかただった(“A Complete Breakdown of the J.K. Rowling Transgender-Comments Controversy” https://www.glamour.com/story/a-complete-breakdown-of-the-jk-rowling-transgender-comments-controversy)。

ここで注目すべきは、聞きたくない意見と向き合い積極的に議論をすることも必要であると、一四歳の少女が同年代の読者に向けて、勇気をもって書いた点だ。ただでさえ自分を見失いやすかったり、承認欲求に左右されやすい年齢にかかわらずだ。だがローリングの意見にも「根拠がある」と書いた部分が、「トランスジェンダー差別を容認した」と解釈され、一部の学生が、娘さんを名指しで批判するにいたった(批判する側は、この一件を通して、匿名を押し通した)。学校も、ウォーク思想警察がらみの告発には弱腰の対応で、数々の奇妙な話し合いの場をアレンジしたすえ、学校新聞に謝罪を載せて、記事の撤回をさせるということで、収束を図った。この事件では、他人と違う意見を唱えることを誤りとした学校側と大人たちに、大きな過失があるように、私の目には映る。「善悪」でくっきりと二分化された世界がネット上で創りあげられ、実社会をも支配し始めているのではないか。この二分化された世界は、ラフカディオ・ハーンのような文学的領域に存在するのではなく、宗教的信念の上に成り立っている。声高に、大いなる目覚めを主張する人々は、ニュアンスやグラデーションの異なる意見を宗教裁判にかけ、「良い側」、「悪い側」に振り分け、「悪い側」を抹殺する。そして、それが正義だと勘違いする。

このインターネットから始まった、社会全体の「思想警察」化の流れを、一体誰がコントロールしているのか。誰がその中枢にいる「ビッグ・ブラザー」なのか。それが判然としないからこそ恐ろしく、たとえ意見をしたくとも、たいていの人は、何か間違ったことを言うと自分も袋叩きに遭うのではないかと二の足を踏み、ますます口をつぐむことになる。そしてその傾向は、個人レベルに限った話ではなく、ここ数年間の「ニューヨーク・タイムス」や「ザ・ニューヨーカー」を始めとする主要メディアの報道姿勢にまで、影響を及ぼしている。さらに大学のキャンパス、高校、そして小中学校でも、学生たちの反乱を恐れる経営陣や一部教員たちが、とりあえず「ウォーク」派の若者の意見に近寄り、へつらうことで緊張を回避しようとする傾向がみられる。言論の自由を尊び率先すべき人々が、聞き慣れない意見を「害」だ、「差別だ」、「中傷だ」と事あるごとに告発し、議論を封じる勢力に迎合していては、状況は悪化するのみである。

ふたたびここで思い出されるのは、一九六七年に、ヒューバート・ハンフリー副大統領が放った言葉だ。彼の嘆いた「耳を傾けない」非民主主義的な振る舞いが、バーチュアルな世界から飛び火し、我々の実際の生活をも確実に支配しつつある。もちろんハンフリーの「つぶやき」は、席を立った聴衆にも、不都合な意見を片っ端から「キャンセル」することに躍起な独りよがりの人々の耳にも届かない。たとえ正義の側に立っていたとしても、結果的に、彼らの振る舞いは、大統領選挙の結果を無効にしようとしたトランプと、その信者のとった行動に似通っている。お互い目ざすのは、トクヴィルの警告したところの「過半数による独裁」だ。プライバシー裁判から始まり、世界人権宣言、ジョージ・オーウェル、インターネットと巡り、帰り着くのは、またもや、民主主義をまっとうすることの難しさなのだった。

第Ⅵ章　東は東、西は西

壮大かつ単調な絶景

しばしツアーバスの旅へ

四人を乗せたバスは、深夜にアリゾナ州フェニックスに着いた。モーテルが立ち並ぶこの街の景色は、ある意味美しく、アメリカの「特徴」のひとつだと宇津木は日記に記す。ここでバスを乗り換えると、旅人たちは目的地までしばしの仮眠をとった。そして一一月一七日金曜日の午前三時半、同州内のフラッグスタッフに到着する。車外はまた一段と寒い。それもそのはずで、標高はエルパソのさらに約二倍、二一〇六メートルあるのだ。

フラッグスタッフからは、グランドキャニオンをめぐるツアーバスに乗れる。観光バス会社が繋ぐルートのため、チケットも往復一四ドル四七セントと大出費になるのだが、この期に及んで誉れ高い絶景を拝まないわけにいかない。午前九時の出発まで、まだまだ時間があるので、四人はふたたび仮眠をとったり、トランプをしたり、ドーナッツを食べたりして過ごした。旅も一カ月以上となると、皆、気が長くなったようだ。目的のバスがやって来ると、案外早いとさえ感じた。グランドキャニオン行きのバスは、グレイハウンドの長距離バスと比べると小ぶりの車体で、定員が二五人。ほぼ満車だった。乗客それぞれ旅の疲れがあるようで、車が動き出すと居眠りしてしまう人も多かった。三〇分ほど走ると、窓外にとうとう粉雪が降る様子を確認する。道も真っ白だ。白樺の林を通り過ぎると、一面に広がる雪景色の野原に灌木が見える。その後、国有林地域に入ったところで、いつの間にか雪が止んでいることに気づく。そのような二時間ほどのドライブで、グランドキャニオンの南端に到着した。

停留地は、グランドキャニオンが国立公園になる四年前の一九〇五年にオープンした木造ロッジスタイルホテル、「エルトーバー」だった。ホテルの外で、まず太陽に照らされる雄大な岩山の眺めを拝んでみる。しかし四人は夏服にコートという薄着のため、すぐに体が冷えてきて、屋内に避難した。中に入りさえすれば、さすがはアメリカ、暖房がよく効いている。昼食はホテル内のレストランでは高そうなので、ここでもポテトチップスとチョコレートで我慢した。そして午後は、渓谷をめぐる観光バスに乗る。

寒さに震え上がりながら眺める渓谷の印象は、「豪快」の一語に尽きた。コロラド川が六〇〇万年ほどかけて侵食した乾燥地の面積は、ロードアイランド州を凌ぐ。渓谷も平均で一二〇〇メートルと、想像を絶する深さだ。「しかし」と、宇津木は補足する。ナイアガラの滝にしても、グランドキャニオンにしても、アメリカの名所といわれる場所はどこも「大味のようである」と。どういうことかというと、「そのものずばり」がそこにあり、「巨大な滝なり渓谷なりを角度を変えて眺めるだけであって、日本の景色のように変化とか色彩を楽しむことは不可能」だというのだ。アメリカ的感性にはそれがぴったりなのかもしれないが「我々には少々物足りない」としている。

厳密にいえば、「色彩」がないわけではない。同じ色に思えても、地層ごとに、グレーやピンク、緑、茶色、紫など、鉄を含む鉱物の微妙な比率によって、さまざまな色合いがある。それでもグランドキャニオンというと、たしかに赤茶がかったオレンジ色が、延々と、圧倒的に広がっている印象がある。私自身も高校生の時に、この地を家族旅行で訪れた際、同様の感想をもったものだ。思わず隣にいた姉に「なんか同じような景色ばっかりで、つまらないね」と、同意を求めた。だが姉は、すっかり呆れたという様子で「あなた、何か大切なものが欠落してるわよ。感動するとかって、ないの？」と、返してきた。

渓谷で過ごした一日は、少なくとも宇津木にとっては「風光明媚」とは言い難く、大味で、やや退屈にちがいないが、グループにとって今までにない体験だった。バスの乗客たちとも打ち解け、冗談混じりの楽しい雰囲気のなかで大自然を味わえたからだ。前日に積もったばかりの雪の白さが多少のアクセントを景色に加え、背の低い木の緑や壮大な空の青さと、程よいコントラストを成している。雪がなかったら、さらに単調だっただろう、「幸運である」、と宇津木はつけ足す。数時間後、いよいよ最終ストップの展望塔にやって来た。寒さのために塔にはツララが下がっている。中世ヨーロッパを想起させる石造りで、たいそう古く見えるが、実際には一九三二年の落成だ。それは一帯のホテル、レストラン産業を牛耳るフレッド・ハーヴィ・カンパニーの依頼により、建築家メアリー・コルターがデザインした、「歴史的建造物」風の、比較的新しい観光名所なのだった。

グランドキャニオンの展望塔

この塔を設計するにあたり、コルターは、一六世紀末よりスペイン人とコンタクトのあったプエブロ・インディアンの建築様式にインスピレーションを求めた。さらに塔の内部には、プエブロの一部族であるホピ出身のフレッド・カボティーによる壁画があり、四人の興味を引いている。ここでも角度を変えて、渓谷を眺めてみる。二〇メートル超からの景色は、やはり圧巻であると同時に、見えるもの自体に新しい要素はなく、果てしないオレンジ色が広がる。その後、冷え切った体に染み込む暖かいココアのサービスをもって、ツアーは締めくくられた。

ホテルに戻り日没を堪能した後、ふたたびバスでフラッグスタッフに戻ると、夜の八時になっていた。実は朝方見つからずに心配していた細野と増尾の荷物も、無事に届けられた。荷物さえ揃えば動けるので、ハンバーガーで遅い夕食を済ませた後、午後一〇時四五分発のバスに乗り込む。四日連続の、そして最後のバス泊だ。目ざすはロサンゼルス。九九ドルのバス旅行の、最終目的地である。いうまでもなく、ロサンゼルスは日系人コミュニティも大きく、より日本との繋がりや、日系移民の歴史を考えさせられる場所でもある。だが四人は連日の移動からの疲労困憊で、望郷の念とは無縁。その晩はバスの座席で、ただただグランドキャニオンのような、延々とひろがる眠りにつくのみだった。

「日本人疑惑邸宅」

「ブルーボーイ」の里帰り

一一月一八日金曜日、午前八時半、いよいよロサンゼルスに到着した。宇津木は記念に、バスの運転手にサインしてもらっている。これでグレイハウンドバスの旅行も終わりかと思うと、四人それぞれに感慨深く、安堵とともに、少し淋しい気持ちもあったのではないかと想像する（厳密にいえば、この後、細野は単独でフーヴァーダムとラスベガスに足を延ばすので、彼にとっては最後のバスではなかったが）。天候は薄曇りで、寒くもなく、暑くもないという、久しぶりの快適さだった。タクシーでダウンタウンにあるＹＭＣＡに移動しシャワーを浴びた後、お互いの肩を揉んだり、荷物の整理や、溜まった手紙書きをして、その日はゆったりと過ごすことにした。

なんとも久しぶりのベッドでの就寝である。

よほど寝心地が良かったのか、同室の宇津木と父は寝坊をし、翌日は一一時になってからの始動だった。朝食兼昼食を済ませると、四人はローカルバスで、東に三〇分ほどの郊外サンマリノ市に向かう。ヨーロッパ絵画のコレクションや、グーテンベルク聖書を所蔵する図書館、そしてさまざまな趣の、手入れの行き届いた庭園で有名な「ハンティントン」(通称 The Huntington の正式名は The Huntington Library, Art Museum, and Botanical Gardens)を訪問するのだ。目的地に着くと人出に驚かされる。ありがたいことに、入場無料なのだった。好天の日曜日だからかもしれない。駐車場は満車だ。

この文化施設は、鉄道王ヘンリー・E・ハンティントンの元邸宅であり、絵画のコレクションや蔵書は、彼が生前集めたものだ。細野が記録しただけでも、訪問時、図書館にはグーテンベルク聖書、チョーサーの『カンタベリー物語』、サッカレーの『虚栄の市』、ミルトンの『失楽園』の初版が展示されていた。さらに美術館部分に進むと、ゲインズバラやレイノルズ、ローレンスなど、イギリス画家の作品が多くみられる。いかにも一九世紀末から二〇世紀初頭の、アメリカ富裕層のイギリス傾倒ぶりを反映している。またそれは大英帝国の斜陽と、それにとって代わるアメリカの台頭という、当時の国際関係における勢力図を如実に語るものでもあった。アメリカの大富豪の令嬢が、資金難に苦しむイギリス貴族と結婚することが多かったのも、そのような流れの一環である(ダイアナ妃やウィンストン・チャーチルを輩出した、スペンサー一族のマールバラ公と、コンスエロ・ヴァンダービルトの結婚は、その代表的な例だ)。一方は貴族と姻戚関係をもつことで社会的な箔づけを獲得し、他方は貴族らしいライフスタイルの維持を期待する、政略的なマッチングだった。

ハンティントンの絵画コレクションのなかでもスター的存在は、ゲインズバラの最高傑作のひとつ『青衣の少年』(The Blue Boy)だった。一九二一年、ハンティントンが当時としては破格の七〇万ドル超という値で競り落とした作品で、イギリスでは国家の一大事件かのごとく騒がれた。大西洋を渡る前の「ブルーボーイ」を一目みようと、三週間で九万人もの人が、ロンドンのナショナル・ギャラリーで行なわれた特別展示に訪れたという。この作品との別れを惜しんだ当時のナショナル・ギャラリー館長チャールズ・ホームズが、キャンバスの裏に「オールヴォワール」(Au Revoir　またの再会まで)と記したという逸話も、よく知られている。二〇二二年、大々的な修復を終えたばかりの「ブルーボーイ」は、一月から五月までの間、ナショナル・ギャラリーに里帰り展示されるという。一〇〇年ぶりの再会だ。

ハンティントンで最も愛される庭園

名画の展示をひととおり目にすると、細野と宇津木は四九ヘクタールの広大な土地に散らばる数々の庭園を見て回った(この間アート好きの父は、おそらく増尾とともに美術鑑賞により時間をかけていたのかと推察する。この二人は、シカゴでも連れ立って、美術館を訪問している)。植物園内にはバラ園、シェイクスピア庭園、サボテン園、中国庭園など、趣の違う庭が美しく整備されている。だがそのなかでも、日本庭園に人気が集中しているようだった。その印象は間違いではなかったようで、一九二八年のハンティントン開園から現在にいたるまで、日本庭園はもっとも愛される存在だと、施設のウェブサイトで紹介されている。庭園内には円月橋、鐘楼、鯉池、藤棚、竹林、そして二〇世紀初頭に日本から運んできた伝統的日本家屋が配置され、人々はそこで風景を眺めながら思索したり、自ら鐘をついて音の響きを楽しんだり、日本建築に凝縮される職人技に感嘆したりして時を過ごす。ハンティントン植物園所長のジェームズ・フォルサムによれば、それは「同時に複数のレベルで機能する庭園」だ。

これが果たして日本的な感性の集大成と呼べるのかは、わからない。細野の目には、施設が誇る「円月橋」の色も、「けばけばしい朱色」に映っている。だが日本庭園の風景が、一行が目にしたばかりの、壮大かつ単調なグランドキャニオンの対極にあったこと、それが長いあいだ多くの訪問者を魅了し続けていることは否定できないだろう。そもそも日本庭園や園芸は、浮世絵、陶器、建築などとともに、ジャポニズムの中核をなす日本的美意識の一表現として、一九世紀半ばからヨーロッパで人気に火がつき、印象派やアール・ヌーボーへの影響をもって、ひろく認められるようになった。たしかにヨーロッパを旅していると、意外なところに日本庭園を見つけることがある。イギリスに住んでいる頃、英文学の学会に参加する母を訪ねて、アイルランドに行った。車を借りて、二人でそこここをドライブしたのだが、首都ダブリンから南西六〇キロほどのキルデアという競走馬の育成の盛んな町に、一九一〇年に完成した日本庭園があったことには驚かされた。庭を作成したのは飯田三郎という人物で、横浜の開業医の家に生まれ、元々は、古美術や盆栽の取引を生業としていたようだ。飯田は他にもロンドンやハーグに、日本庭園を残している。
ヨーロッパ発祥の日本趣味は、アメリカの東海岸、とくにボストンやフィラデルフィア、ニューヨークに飛び火し、それがやがてシカゴのような中西部や、西海岸にも届いた。ハンティントンほどの本格的な日本庭園をもつことは無理でも、二〇世紀初頭のアメリカの富裕層において、「日本人の庭師」をもつことは、魅力的なステータス・シンボルだった。日本人に手入れされる木々、とくに盆栽を大きくしたような松の木は、いかにも「日本人の庭師がいる」ことを世間に知らしめる、大がかりな舞台装置だったのだ。そこまで「庭」は、「日本的感性」を映し出す鏡のように思われていたということだろう。

日本の庭についてあれこれと考えを巡らせるなかで、無性にある人物と話がしたくなった。マルチメディア・アーティストで、現在はカリフォルニア大学アーバイン校の芸術科教授でもあるブルース・ヨネモトだ。ブルースが日本への留学から戻ったばかりの、まだ駆け出しの一九七〇年代後半に熱中したのは、「日本人疑惑邸宅」(Suspected Japanese Houses)と名づけたフォト・プロジェクトだった。ロサンゼルスとその近郊をドライブしながら、日系アメリカ人が住んでいると思しき家を見つけて、片っ端から撮影していったのだ(あくまでも「疑惑」で、実際には日系人の住まいでない家も含まれていたかもしれない)。だが「疑惑探知機」と化したブルースの目は、手入れの行き届いた日本風の庭に、とくに反応したという。そうやって撮りためた写真を、さまざまな方法で印画したり、加工した作品群が「日本人疑惑邸宅」だった。彼はこのシリーズを通して、カリフォルニアに育った日系三世としての自分自身のルーツをも探求し、表現しようとしたのだ。

ロサンゼルス在住のブルースとは、以前は彼がニューヨークで個展を開く毎に会っていたが、ここ数年はそれがない。コロナ見舞いもかねて、電話で近況をたずねると、偶然にも、四〇年前の「日本人疑惑邸宅」シリーズに、ふたたび命を吹き込もうとしているという。今回は、そのころ撮った写真に、漆塗りの素材を組み合わせてコラージュを制作するそうだ。なぜ漆なのかというと、日本の親戚を訪ねる折に、鳴子漆器や紀州漆器に触れる機会が多くあり、漆器文化を介した日本、ベトナム、中国との繋がりに焦点をおいた作品群を生み出そうと思い立ったのだという。さすがはアーティストで、側面から創作のインスピレーションがひろがる様子は、話を聞いているだけで面白い。

強制収容所、それは人生劇場

収容所の記憶と沈黙の壁

だがせっかくなので、横に広がるだけでなく、ブルースに、少し時代を遡ってもらうことにした。日系移民の苦難の歴史について、彼の意見を聞きたかったのだ。四人のハンティントン訪問に関する記述を読みながら、私が大いに矛盾していると感じたことがあった。ジャポニズムがもてはやされ、金持ちが日本人の庭師を重宝する風潮にかかわらず、二〇世紀初頭のアメリカ西海岸では、日系人、そしてアジア人全般に対する人種差別が法律化されている。たとえば一九一三年、カリフォルニア州が通過させた「外国人土地法」の主たるターゲットは、急増しつつあった日本人移民だった。これによって市民権取得権のない者が、州内で土地を所有することができなくなった。すでに一八七〇年の帰化法で、アメリカ合衆国外で生まれたアジア系すべての人々が、市民権を獲得できないと定められていたために、いわゆる「一世」が、カリフォルニアで土地を所有することが難しくなったのである。

不穏な時代を、ブルースの家族はどのように生き抜いたのだろう。日系二世のブルースの父親は、一九二〇年生まれだ。アジア系移民に対する風当たりが、いっそう強くなっていった時期と重なる。「カリフォルニアを白いままに」などの、現代の白人優越主義者に受け継がれるスローガンが唱えられ、黄色人種に対する排斥運動が勢いを増していた。奇妙なもので、憎しみは愛情の裏返しというのは、本当かもしれない。まさにその頃、南房総出身の早川金太郎改め早川雪洲が、サイレント映画隆盛のハリウッドにセックスシンボルとして君臨し、自ら映画会社を立ち上げるなど、人気の絶頂期を迎えていた。

カリフォルニア州のアジア系をターゲットとした法律の数々は、より大規模な連邦法の先駆けだった。とうとうアメリカ合衆国全体でも、一九二四年、いわゆる「排日移民法」が通る。実際にはこの法律は、日系人だけを標的にしたものではなく、「移民法」という正式名の下に、アジア系移民をはじめとする東半球からの「招かれざる移民」全般の排除を強化する目的をもっていた。いずれにせよ、そのようなアメリカ政府の排他主義への動きが、一九二〇年代、三〇年代を通して、肌色に根づく日本人のコンプレックスや怒りを増幅させたことに疑いの余地はない。それは日本の海外移民の落ち着き先が、とくに一九三一年の満州事変以降、アメリカからアジア大陸へ移行することにも繋がった。日米関係の緊張増加をともなう変化は、すでにアメリカで生活していた日系人にこそ、重くのしかかったのだ。

ブルースの父、タケシ・ヨネモトの家族は、サンタクララバレー(現在のシリコンバレー)で、カーネーション栽培を営んでいた。タケシは獣医師を志し、カリフォルニア大学バークレー校の医学校予科コースに入学する。だが生花業を継いでほしいという家族の願いを受け止め、植物病理学に専攻を切り替える。さらに学業半ばにして、新たに軌道修正を迫られる一大事が起こった。日本の真珠湾奇襲攻撃が招いた、日米開戦だ。これによって、アメリカ生まれの、つまり出生地主義によって権利を保証されたはずのアメリカ人を含む約一二万人にもおよぶ日系人が、「大統領令九〇六六号」の下に強制収容されることになる。彼らは敵国のスパイ、またはその候補とみなされたのだ。西海岸を離れさえすれば、アメリカ国籍所有者にかぎり収容所行きを回避できるということで、タケシはとりあえずコロラド州立大学で勉強を続ける道を選んだ。その一方で、日本国籍の両親は、地域の日系人コミュニティのリーダー的存在であったこともあり、スパイ嫌疑の名目で、収容所ではなく刑務所に送られたのだった。まさに犯罪人同然に「連行」されたのである。タケシは学位を取得すると、やがて陸軍に招集され、シカゴで終戦を迎える。

だがブルースは、父からも、祖父からも、家族が戦中どのような体験をしたのか、それ以上のことを聞かされることはなかった。戦後に生まれた世代には乗り越えることのできない沈黙の壁が、そこにあったのだという。概して迫害の歴史は、死者の沈黙だけでなく、生存者の沈黙によって、その全貌をとらえることが困難になる。その最たる例は、ホロコーストだ。イスラエルでも、ヨーロッパでも、アメリカでも、ナチスの強制収容所を生きのびた人々の多くは、トラウマと、不条理だが拭いきれない羞恥心から、自らの経験をくわしく語ることが少ないとされる。戦後、早急に平穏な生活を取り戻すうえで、過去にこだわることは、余計な心労を増すだけだった。そして過去を避けたい気持ちは、収容所を経験した日系人にも、当てはまることだった。しかし、はっきりとしているのは、ヨネモト家が、他の多くの日系人と比較しても恵まれていた点だ。戦争の期間を通じて、隣家の白人が、一家のカーネーション畑の世話をし、その維持に努めてくれていたのである。戻る家がそのまま残っていたことや、隣人の善意があったことは、辛い数年間の出来事を思い出す機会を、最小限にとどめたのではないだろうか。

悪名高き収容所

一方ブルースの母方の家族、ヒトミ家の戦中体験は、より鮮明に、具体的に、次の世代に伝えられている。一九二一年生まれの母フミコは、元来、黙っているタイプの人間ではなかった。戦後も、自らが青年期に直面した差別や不正に怒りを感じ続け、日系人が歩いてきた道をわかってもらおうと、意識的に収容所での日々について、ブルースやその兄弟に語ることがあったという。そもそも西海岸の日系人を収容した施設は、一〇カ所あった。カリフォルニア、アリゾナ、ワイオミング、コロラドなどにそれらが点在していた。沼地、砂漠、荒野と、それぞれ

トゥーリーレイク戦争移住センター

自然のセッティングは違ったが、住居はバラック建てで、有刺鉄線が巡らされた劣悪な環境であることに変わりはなかった。だがヒトミ家の人々が連れて行かれたのは、そのなかでも悪名高きトゥーリーレイク戦争移住センターだった。カリフォルニア州の北端、オレゴン州の州境に近いこのキャンプがなぜ一段と恐れられたかというと、収容される者は、アメリカへの忠誠を疑われた要注意人物と目された人ばかりだったからだ。そのため一段と厳しい環境と監視が待っていた。ライフル銃をちらつかせる看守が、常時見張りについていたという。

フミコの両親は、サクラメントで洋品店を経営していたため、彼らも米国籍をもたぬ(もてぬ)日系コミュニティの成功者として、スパイ嫌疑をかけられたのだった。ヨネモト家のように、日本人の親だけ刑務所に行く場合もあった。だがヒトミ家は、家族が離ればなれにならない唯一の方法を選び、全員で収容所入りした。そこでフミコは叔父を亡くしている。何者かによって殺害されたのだった。それが、彼の自由思想をよく思わなかった看守によるものだったのか、はたまた収容者仲間によるものだったのか、わからないのだという。ブルースはこの大叔父が、かなりのドン・ファンだったことを伝え聞いており「もしかしたら人妻に手を出して、その夫が嫉妬に狂って殺したのかもしれない」と、冗談まじりに言う。だがすぐに真面目な口調に戻り、付け加える。「その大叔父の娘、つまり、僕の母の従妹は、当時まだ四歳だった。その少女が、自分の父親の亡骸を発見したんだ。喉を切られて、床に倒れていたんだよ。それから数年間、彼女は声を発することができなかったそうだ」

破壊されたロサンゼルスの日蓮宗寺院の内部
(戦時転住局の記録より)

二四時間の監視下、狭い空間を多くの家族が分かちあい、プライバシーなど皆無に近い、いつ終わるかわからない不自由な共同生活を、我々が想像するのは難しい。日々は絶望、希望、怒り、嫉妬など、数多の生々しい感情に満ちていたのではないか。幼年期、少年期に、愛憎が生々しくせめぎあうイタリアオペラのような即興人生劇場のまっただ中にいると、いったいどのような人間が育つのか。人それぞれといってしまえばそれまでだ。だが私には、厳しい現実と、そのクッションとなるファンタジーとの間をとりもつ、役者向きの人間が育つ可能性が、大いにあるように思える。というのも、ヒトミ一家の収容されたトゥーリーレイクは、少なくとも二名の、名だたるアメリカ人俳優を輩出しているからだ。

ともに日系二世のノリユキ・パット・モリタと、ジョージ・タケイだ。一九三二年生まれのモリタは、一九八〇年代にヒットした、空手に情熱を傾けるティーンエージャーを描いた青春映画『ベスト・キッド』シリーズで、師匠のミスター・ミヤギを演じ、一躍有名になった。収容時、さらに若かった一九三七年生まれのタケイは、カルト的人気を誇る一九六〇年代後半のSFテレビ番組『スター・トレック』(放映時の邦題は『宇宙大作戦』)で、ヒカル・スールー役を演じ、アメリカのポップカルチャーにおいても絶大の存在感を発揮し続けている。近年では、自らの同性婚についてオープンに語り、人種差別問題、LGBT問題について啓蒙活動を行なうほか、ソーシャルメディアを駆使して、トランプ政権の批判も繰り広げた。俳優としても息の長い活躍をしており、特筆すべきは、タケイ自身の収容所体験をベースにつくられたブロードウェイミュージカル『アリージャンス/忠誠』に出演し、話題をよんだことだ。二〇一六年、私も劇場に足を運んで観劇した。

ストーリーは、日系人姉弟を中心に、収容所の人間模様をめぐり展開する。印象的なのは、困難に直面した際の、姉弟の反応の違いだ。姉のケイは、アメリカ政府に憤り、人権侵害を主張し、抗議する。民主主義の理想を信じるからこその真っ当な抵抗なのだが、収容する側には忠誠と愛国心の欠如ととらえられ、結果、彼女は危険人物として扱われる。反対に弟のサムは陸軍に志願し、アメリカのために戦うことで、誰にも疑う隙を与えさせない忠誠を示そうとする。強制収容は、癒えることのない家族の分断、断絶をも招く悲劇となる。ブルースの母フミコの怒りの記憶とも相まって、日系人たちの失った物の大きさに、ため息が尽きない。

より物質的な面に限っても、強制収容は、日系人コミュニティに大きな傷跡を残した。とくにトゥーリーレイクでの収容は、他と違い、一九四五年八月一五日の日本による無条件降伏をもってしても、終わることがなかった（実際には終戦を待たずとも、すでに一九四四年一二月、最高裁が「日系アメリカ人の強制収容は違憲である」という採決を下していた。その発表の直前、ルーズベルト政権は、すべての収容所を閉鎖すると宣言している。その言葉どおり、一九四五年初頭より段階的に収容者の西海岸への帰還が始まり、一九四五年末までには、トゥーリーレイク以外の収容所の閉鎖が完了していた）。やっとキャンプが閉鎖されたのは、翌年の春だった。フミコの両親の店は不在中に乗っ取られ、売られていた。ジョージ・タケイの家族も辛酸を舐めた。戦前にはドライクリーニング店を経営したり、不動産業に携わっていた両親だったが、トゥーリーレイクから「解放」された一家には、住居も、商売も、資産も、何も残っていなかった。やむにやまれず、家族はロサンゼルスのダウンタウン東部のスラム地区、スキッドロウに住むことになる。そこでの生活は一九五〇年まで続いたのだった。二家族とも、不屈の精神で生活を建て直すことに成功した。だが、すべての人々がそうだったわけではないだろう。そう思わざるを得ない一瞬の出会いを、細野はハンティントン訪問と同じ日の夜に、経験している。

その晩、細野はフーヴァーダムとラスベガスを見ておきたいと、単独で足を延ばすことにした。皆に送り出され、深夜のターミナルに向かう。ホテル泊はせずに、今一度グレイハウンドの乗り放題チケットを利用し、往復とも夜行バスで移動する旅程だった。列に並びバスの到着を待っていると、日本語で一人の老人が話しかけてくる。「家へ帰るバス代がないので、同じ日本人のよしみで五〇セント貸してくれないか」というのだ。仕方がないので希望の額を「貸して」、少し話を聞くことになった。いかにロスの物価が高く住みにくいか、ニューヨークやシカゴのほうが暮らしやすいか、といったことを、彼は滔々と語る。あらゆる場所を渡り歩いてきた様子だった。おそらく波乱万丈の人生を送ってきたのであろうが、バスの出発時間が迫り、それ以上は聞けなかった。満月に照らされた砂漠を走行するバスのなかで、細野は、同じ日系人とはいえ、サンフランシスコ滞在中に訪問したコーダ・ファームの「国府田氏のような成功者」もいれば、バスターミナルの老人のように、「その日の暮らしにも事欠くような人」もいると、しみじみ考えるのだった。

もちろん細野の出会った老人が、戦時の日系人収容所を体験したかはわからないが、その様子には、異国での生活の厳しさや孤独を感じ取るのに十分なものがあった。一度レールを踏み外すと、恐ろしいことになりかねない。日本による真珠湾攻撃以前、ある程度アメリカでの生活が軌道に乗っていたとしても、いや、乗っていたからこそ、収容所送りで躓《つまず》き、傷つき、そこからふたたび立ち上がれなかった人も大勢いたのではないだろうか。だが誰もが聞きたがる成功談と違い、「脱落」の体験は、多くが埋もれたままになっているのかもしれない。

ジャパニーズ・アメリカン・ドリーム

「ライス・キング」の半生

旅の冒頭で出会い、細野が日系一世の成功者として思い浮かべた農場主、国府田敬三郎は、戦争をどう過ごしたのだろうか。一家は大統領令九〇六六号の発令後、コロラド州南東部のアマチ収容所に入れられた。「持てるものだけしか持ちこむべからず」(“Bring only what you can carry”)の命令どおり、彼らはスーツケースを携えて、砂埃《すなぼこり》が吹き荒れる、有刺鉄線で囲われたバラック建ての施設に入所したのだった。断熱材とは無縁の簡素な造りゆえ、氷点下五、六度まで気温が下がる冬になると、屋内でも寒さに震える日々だった。トイレには、ドアどころか仕切りさえなく、残る写真で確認するかぎり、便器がほぼ隣り合わせの状態で連なっている。それでも多くの一世たちは、ひたすら我慢の精神で、生活環境の整備に努力した。なかでも国府田は一目も二目も置かれるリーダー的な存在で、協同組合を組織し、外から衣料や食料を購入できるように工面した。収容者には国府田同様、中部カリフォルニアの農民が多かったこともあり、ここでは荒地の開墾が急ピッチで進む。作業の合間には相撲大会を行なったり、合唱をしたりと、人々は、苦境のなかにも人間としての尊厳を維持することに、必死だった。

国府田敬三郎(1942–45年撮影)

　そのような年月を経て、とうとう解放の日がやってくると、国府田と家族は無我夢中で、ドス・パロスの農場に戻る。だがそこには恐ろしい現実が待ち受けていた。管理を任せていた顧問弁護士の手によって、農場や機材の大部分が売却されていたのだった。一九六一年、四人の大学生が国府田を訪ねた先は、戦後、仕方なく再建した第二の「コーダ・ファーム」だったのである。その農場は、現在でも二人の孫が創始者の遺志を引き継ぎ、高品質の製品を全米市場に送り出している。一九六三年発売のカリフォルニア米「国宝ローズ」はもとより、コーダ・ファームブランドのもち米を製粉した「モチコ」は不動の人気を誇っている。細野は国府田から、モチコがホワイトソースやゼリーに使われ評判が良いと教えられたが、その人気はいまなお衰えていない。実際ここ一〇年、二〇年のあいだに、小麦アレルギーを避ける目的で、グルテン・フリーダイエットが注目され、アイスクリームや餡《あん》の入った「モチ」が、アメリカのデザートとして一般化していることも、コーダ・ファームの老舗的市場存在感を、より際立たせている。

だが残るものは米製品だけではない。奪われ売却された農園跡地には、戦前の大規模な精米所が、いまも鎮座している。国府田の人生を追った二〇一五年のドキュメンタリー映画『ドス・パロスの碧空』(*Seed: The Life of the Rice King and his Kin*)には、国府田の孫ロス・コーダが、その精米所の倉庫を訪ねるシーンがある。現在のコーダ・ファームから遠くない距離にあるのだが、家族の辛い記憶を蘇らせるその場所に、彼はそれまで足を向けたことはなかったという。国府田が手塩にかけた農場は廃墟と化し、倉庫はフクロウの住処になっている。荒んだ光景を目にしながら、さまざまな感情を消化するのに苦心する複雑な表情で、「ここに祖父の魂はいない」とロス・コーダは断言する。

国府田の魂とは、一体どのようなものなのか。彼は日系一世の成功者として傑出した存在であり、困難を強く生き抜く力と、先見の明をもってして、アメリカの「ライス・キング」と呼ばれるまでになった。まさに自らの力で、米国の米王となったのである。さらに彼は、成功の恩恵を日系社会と分かち合う努力も怠らなかった。国府田は戦前から、日系アメリカ人市民同盟(JACL：Japanese American Citizens League)において、重要な役割を果たしていた(一九二九年に設立されたこの組織は、アメリカで最古かつ最大のアジア系市民団体で、日系人、およびアジア系アメリカ人全般の権利擁護と利益拡大を目的としていた)。さらに戦後すぐには、外国籍の者が土地を所有することができないとした先述の「外国人土地法」の反対運動を起こし、一九五六年、法の撤廃にこぎ着けている。

そのほかにも国府田は、自身のエネルギーや財産の多くを、日系人の社会的、経済的基盤再建に費やしている。戦前、戦後を通して行なわれた国府田の活動を見ていると、そこには、ないがしろにされる権利のために自ら立ち上がるという、自由民権思想を彷彿とさせる気概さえ感じられる。国府田は一八八二年、旧磐城平《いわきたいら》藩士の家に生まれた。まさに自由民権運動の息づく時代と土地に生を受けたことは、彼の正義感と行動力溢れる「魂」と、無縁ではないだろう。一九〇七年に渡米した国府田は、民主主義のお膝元であるはずのアメリカで、露骨な差別や迫害の現実を、身をもって経験した。漠然とした差別ではなく、そこでは生まれつきの肌の色や国籍によって、人としての権利が、ごく当然のことのように踏みにじられていた。だが絶望するのではなく、不正に対する怒りを前進する力に変え、多くを成し遂げ、その利益を社会還元した。そのことが、このカリフォルニア米がかなえた国府田のアメリカン・ドリームを、なおさらアメリカ的な物語にする。

アラタニ家のもてなしを受ける

国府田に先駆けること二年、一九〇五年には、ほぼ同年代の、もう一人のアメリカン・ドリームを叶えた人物が、サンフランシスコに到着していた。一八八五年生まれで、広島県西条町出身の荒谷節夫《せつお》だ。かつてサンフランシスコは、日本人移民が船で到着する最初の港で、そこにそのまま低賃金労働者として定住することも多かった。だが一九〇六年四月一八日の大地震をきっかけに人口が南へ流れ、一九一〇年までには、ロサンゼルスが日系人口最大の都市となっていた。荒谷もその波に乗った。最終的に落ち着いたのが、ロサンゼルスから北西二五〇キロほどのグアダルーペで、そこで人参、レタス、唐辛子などの大量生産に成功し、テキサスや東海岸へ輸送するまでになる。国府田とは違い、すでに多くのアメリカ人が好み消費していた食材の栽培で一旗上げたわけだ。だが一九四〇年、荒谷は結核で急逝する。戦時の強制収容を免れるタイミングだったことだけが、皮肉な幸運だろうか。

荒谷の物語はまた、間接的に、一九六一年の旅と交錯する。四人はロサンゼルスから、帰国船に乗る予定だった。船は細野軍治のコロンビア大学留学時代の友人、俣野健輔が社長を務める飯野運輸によって運航されていた。俣野の計らいもあり、時間はかかるが飛行機より経済的に日本に帰る方法を確保できたのだ。だが肝心の船が到着せず、出航が延期され続けた。そのため四人は一カ所での滞在では最長の九日間を、ロサンゼルスで過ごすことになる。お土産品を調達したり、ディズニーランドを訪問したりと、何かと出費もかさみ、資金もギリギリの最終日程のなかで、救いの手を差しのべたのが、荒谷節夫の息子で当時四四歳の実業家、ジョージ・アラタニだった。進駐軍時代、私の祖父の堀田庄三がアラタニの貿易事業展開について相談に乗って以来、家族ぐるみで親しくしており、その親交は世代を超えて、今なお続いている(この旅の数年後、父のオバリン大学留学を助けたのもアラタニだった)。

この時も、同じく日系二世の妻サカエとともに、アラタニは親身になって四人の世話をしてくれた。ハリウッド・ヒルズにある湖の見える絶景の自宅に招き何度も食事をご馳走したり、あばら肉を塊でサーブするプライムリブ・ステーキとシーゾンドソルトで有名なレストラン「ローリーズ」に連れて行ったり、マリンパークや感謝祭《サンクスギビング》の前夜祭の見物に同行したりと、連日、宇津木や細野の日記に登場する。とくに前夜祭パレードは、四人にとって印象的だったようだ。テレビや映画界の有名人だけでなく、地元のハリウッド・ハイスクールの生徒も参加しており、当時高校生だったアラタニ家の長女ダナの晴れ姿を、皆で見届けている。一一月二三日には、家族、親族で過ごす感謝祭のディナーに皆そろって招待されている(その日はアラタニ夫妻の結婚記念日でもあった)。ここで一家の主人がローストした七面鳥を切り分ける伝統について学び、その七面鳥の大きさにも驚き、食後には当時まだ珍しかったカラー放送でテレビの歌謡ショーを観たり、皆でゲームに興じたりした。ニューヨークのチャイルズ家とはまた違う、アメリカの家庭のあたたかさに触れる経験だった。

この奇特な人物ジョージ・アラタニの人生について、私が知るかぎりのことを、記しておきたい。一九一七年生まれのアラタニは、高校を卒業した一九三五年、「どうしても」という両親の願いに添うかたちで、日本に留学する。アメリカで大学に行ったとしても、それだけでは人種差別のために良い就職口が得られないことを危惧したのだという。両親は、将来一人息子がなんらかの、日米両国の架け橋となるようなキャリアを築くことを希望しており、まずは日本の大学に入ることが先決だと息子に諭した。その頃のアラタニは、高校のアメリカン・フットボールのスター選手で、プロチームからスカウトされるほどの注目株だった。膝の怪我でその道は断念せざるを得なかったが、成績も優秀だったため、スタンフォード大学から入学許可が下りていた。

つまりアラタニは、絵に描いたような「アメリカ的」な青春を謳歌していたのだ。現地社会への順応レベルと反比例するかのように、日本語は苦手だった。だがいったん来日してからは、家庭教師についてみっちりと日本語を学び、日記も日本語でつけ始め、一年後には慶應義塾大学法学部に入学を果たすまでになる。学生野球や社交にも熱心で、軍国主義の影が忍び寄る時世にもかかわらず、大学生活を楽しんだようだ。当時の塾長小泉信三にも、感化を受けている。だが父節夫の急死により、卒業目前で、カリフォルニアに呼び戻されることになった。母もその少し前に、一時帰国中だった日本で病死している。一旦はスタンフォードに転学したものの、間もなく父の興した「グアダルーペ農産」(The Guadalupe Produce Company)の経営を任されることになり、結局はアメリカの学位取得も断念せざるを得なくなった。そして大学を去って二年も経たないうちに、真珠湾攻撃で、日米開戦となる。

アラタニは、フェニックスから南東五〇キロほどの、アリゾナ州ヒラリバー戦争移住センターに送られた。そこではさらなる悪いニュースが、追い討ちをかける。借金の取り立てが収容所にまで及んだのだ。そもそも問題の負債は、一九四一年七月、日本軍による南部仏印(フランス領インドシナ)進駐に端を発していた。アメリカ政府は進駐に対する報復措置として、一九四一年七月末、日系資産を凍結したのだ。そして凍結資産を「引き継いだ」合衆国政府の銀行監督官庁は、戦前に住友銀行が荒谷節夫の会社へおこなった融資の回収をすべく、動き出したのだった。有刺鉄線のめぐらされる収容所の内側からアラタニにできることはかぎられており、グアダルーペ農産を売却するしかなす術がなかった。ほぼ一瞬にして、父親が多大な労働と長年の忍耐で築いたアメリカの基盤が、あっけなく崩れ去ったのである。その売却額は、米政府に課された税金を賄うこともできぬほどの僅かなものだった。

ジョージ・アラタニの「財産」

だがアラタニには、まだ誰にも奪うことのできない財産があった。日本で受けた高等教育と、それを裏づける高い日本語能力だ。今は亡き両親が、日米の架け橋としてアラタニが身につけるよう願ったスキルは、収容所生活から抜け出す道を切り拓くことになる。一九四四年五月、彼は、ミネソタ州の軍事情報局語学学校(ＭＩＳＬＳ：Military Intelligence Service Language School)の教員となった。アメリカ兵に日本語を教える特務を担ったのだ。そして収容所から出たことで、アリゾナ州ポストン収容所に入れられていたフィアンセのサカエ・イノウエとの結婚も、許されたのだった。

ＭＩＳＬＳは、戦時に必要とされた諜報、通訳、翻訳、尋問などに対応できる日本語力養成のために設立された機関で、約六〇〇〇人がここを巣立っていった。学生の八割方が、合衆国政府に忠誠を誓い、兵士となり、命をかけて戦うことで愛国心を証明しようとした日系人だった。彼らの多くはまた、日本に留学前のアラタニ自身がそうであったように、日本人というよりは、文化的にも、言語的にもアメリカ人だった。差別されたり迫害されたりすることなく、すんなりと現地社会に同化したいという一世の親たちの悲願が、次世代の若者たちがいかにアメリカナイズされたかに反映されたわけだ。それは、ラドヤード・キップリングが形容した、「東は東、西は西」という、埋めることのできないとされた文化、文明の間を知ってこその、強い思いだったのではないか。

ＭＩＳＬＳ開設当初の調査によると、読み書きを含む、真の意味での日本語習得者は、入学した二世のうちわずか三パーセントほどだったという(Densho Encyclopedia "Military Intelligence Service Language School" https://encyclopedia.densho.org/Military_Intelligence_Service_Language_School/)。強制収容の正当化として使われた、「日系アメリカ人のスパイ化防止」というゴールが、いかに杞憂であったかを、この数字が証明している。それと同時に、軍当局は、まっさらの状態ではなく、少しでも日本語や日本文化に親しみのある人材を短期間で訓練し、太平洋の対日戦において、語学兵として活動させる必要を感じていた。そのような経緯で、アラタニの派遣されたMISLSは、日系二世の語学集中訓練にカリキュラムの主眼を置いていたのである。

陸軍の管轄だったMISLSとは別に、もうひとつ戦時の日本語学校が、コロラド大学ボルダー校に海軍によって設置されている。戦争勃発直後は、ハーバード大学とカリフォルニア大学バークレー校に東西分かれて設立された語学校が、そこに統合移転されたのだった。この海軍プログラムへも、やはりアラタニのような数少ない、完璧な日本語を操る日系アメリカ人が教員としてリクルートされた。しかしMISLSとは対照的に、日系人の学生はいなかった。というのも、彼らの海軍入隊そのものが禁止されていたからだ。ここを卒業したおよそ一二〇〇人の学生は、太平洋戦線に送られ、暗号の解読や捕虜の尋問、文書の翻訳などの分野で活躍するのだった。

戦後の「アジア」研究を担っていった学生たち

言語や異文化理解に長ける人材を求めるとなると、名門大学のキャンパスが、格好のスカウト場となって浮上した。家族が国際ビジネスや宣教に従事し、なんらかのかたちでアジアとのコネクションをもつ学生が、まずはリクルートの対象となった。さらに古典学を専攻する学生は、とくに歓迎された。それを専攻するには最低でも古代ギリシャ語とラテン語の習得が不可欠であったからだ。タイム・ライフ社の東京支局長を経て、後にポモナ大学教授となったジャーナリストのフランク・ギブニーは、まさに古典学専攻でリクルートされた口で、一九四二年の海軍入隊当時、イエール大学の二年生だった。古典学ではなかったが、私の恩師マリウス・ジャンセンも、開戦当時、プリンストン大学でルネッサンス史家になることを志していた。彼もその秀でた言語能力を買われて、在学中に引き抜かれ、日本語を学び、戦後、東アジア研究の道へ進んだ。

そのようなエリート学生たちは、一年ほどの集中訓練を受けた後、情報将校として現場で活動を始め、やがて終戦となると、進駐軍のメンバーとして日本に派遣されるケースがほとんどだった。進駐も終わると、ギブニーも含め、外交やジャーナリズムなど、各自が選び、進んだ道で、日米理解促進の担い手となる人もいた。さらにオーティス・ケーリ、エドワード・サイデンステッカー、ドナルド・キーン、テッド・デ・バリー、マリウス・ジャンセンなど、戦後、アメリカの大学におけるアジア研究に貢献した錚々たる学者が、陸海軍の言語プログラムから多数、巣立っていった。もちろん例外はいた。ワシントンDCの平和部隊本部で、四人が紹介された東南アジア専門の人類学者ロバート・B・テクスターのように、戦後は、日本研究とは関係のない分野に落ち着く人もいた。たしかなのは、知力、探究心ともに類い稀なる人材が、真珠湾攻撃以降、日本語速攻習得のために効率的、かつ組織的にリクルートされ、一種の総力戦を戦ったという点だろう。

ギブニーは二〇〇三年、当時盛んだったイラク戦争とその後の復興に関する論争にからめて、自分たちが占領下の日本で果たした役割について追想した。昨日まで敵だと思って戦っていたアメリカ人が日本語を理解するとわかったとき、敗戦後まもなくの日本の人々は、驚きながらも好意的な目でアメリカをみるようになったと、ギブニーは「ロサンゼルス・タイムス」の寄稿で記している。語学学校の卒業生が、日本と日本人に歩み寄ったことで、「民主主義の輸出」と戦後のパートナーシップを可能にしたのだと、彼は誇りとともに確信している(二〇〇三年九月二八日)。

これはあくまでもギブニーの経験にもとづく主張であって、証明は難しい。それでも終戦から二〇年と経たないバス旅行の道中、四人の大学生は一度も反日的な扱いを受けなかったどころか、日本に行ったことのある人々に、気さくに話しかけられている。そのことが、語学兵たちが活躍した占領期の総体的な成功を、示唆しているのかもしれない。とくに印象深い記述が、細野の日記にある。前述のフーヴァーダムとラスベガスに赴いたひとり旅で、細野はダム見学のバスに同乗した日本人女性と親しくなった。昼食は、ロッキー山脈を彼方に望むミード湖畔のロッジで食べたのだが、二人の日本人のテーブルに、バスの運転手も加わった。その人は終戦直後から二年ほど日本にいたということで、親しみを感じてくれたらしい。さらに話を聞くと、お兄さんが第二次大戦で亡くなっているという。「仇敵である日本人の我々に対しても大変親切」であると、細野は記す。

アメリカの言語作戦を考える際、あまり知られていないもうひとつの側面に、米国外国放送情報局(FBIS：The Foreign Broadcast Information Service)があった。FBISはやがて、戦後発足する中央情報局、つまりCIAの一部門となる。その活動目的は、日本のラジオ放送の監視、翻訳、分析にあった。もともとこのグループは、日米開戦の前夜、オレゴン州ポートランドに開設されたリスニングポスト(軍事情報収集拠点)で、日本からアメリカに向けた日本語の短波放送を解析していた。開戦以降、さらなる情報収集努力の必要性を痛感したFBISの高官は、日本語の熟練した使い手を求めて、日系人強制収容所を訪ね歩いた。だがここでも「日系二世の、全体的な日本語力の低さ」という厳しい現実に直面する。ごく少数が、困難な任務に耐え得る日本語力を有すると判断され、同意した者は、新設されたコロラド州デンバーのリスニングポストへ送られた。短波放送だけでなく、大気条件さえ許せば、日本国内の標準放送を傍受することもあった。

彼らを統括したFBISアジア言語プログラム責任者が、一九六一年、四人がイェール大学で面会した政治学者のチトシ・ヤナガ(弥永千利)教授だった。彼はハワイ出身で、一九〇三年生まれの日系二世アメリカ人だったが、青少年期に日本への留学経験があった。ヤナガはもともと、先述の海軍日本語学校で教鞭を執っていたが、情報局に引き抜かれ、以降、デンバーでFBISの日本語部門を牽引することになったと思われる。そしてヤナガの活躍は、戦中だけにとどまらなかった。一九五七年夏、彼は米軍に押収された日本の陸海軍省文書をくまなく調べ、マイクロフィルム化し、米国議会図書館に所蔵するという大きな使命を担い、ここでも専門家のチームを率いることになる。今日でも閲覧できる貴重な歴史資料は、約四〇万ページにおよぶ膨大な量だ。専門分野の日本現代政治だけではなく、ヤナガはまさにリアルタイムで、日米の戦中、戦後の歴史を生き、その歴史編纂にも、影の、だが不可欠な存在として貢献したのだった。日本を深く理解しながらも、あくまでもアメリカに忠誠を誓った一市民として。

グラウンドゼロからの再建

ヤナガより一世代若かったジョージ・アラタニの場合も、同じだった。どんなに日本語を見事に操っても、どんなに日本を知っていても、自分を日本人ではなく、日本と深い繋がりのある「アメリカ人」として見ていた。その思いを反映してか、本人に取材をしたナオミ・ヒラハラによる二〇〇一年出版の評伝のタイトルは、*An American Son: The Story of George Aratani*(『アメリカの息子――ジョージ・アラタニの物語』未邦訳)だ。さらにアラタニにとっての原点であり永住の地は、南カリフォルニア以外にありえなかった。

ジョージ・アラタニ(2004年撮影)

戦争が終わると、新婚のアラタニ夫妻はサカエの両親の住んでいたロサンゼルスの郊外ロングビーチで、民間人としての生活を開始する。アラタニは卓越した実行力で、一九四六年にはグアダルーペ農産の元従業員に声をかけ、貿易会社を設立している。あらゆる製品の輸入を試みた結果、日本製の陶磁器に注目した彼は、一九五七年「ミカサ」を設立し、高い人気と信頼を誇る陶磁器ブランドとして成長させた。さらに四人が訪問した一九六一年には、音響機器販売に着眼し、米国ケンウッド・エレクトロニクスを設立している。さまざまな事業が軌道に乗ると、サカエ夫人とともに、慈善事業への取り組みも積極的に行なうようになる。日系人のための養老院施設の創設や、大学や美術館への寄付、リトル・トーキョーの歴史的建造物修復など、二〇一三年に九五歳で亡くなるまでに、アラタニが篤志家として遺したものは、枚挙にいとまがない。

アラタニの社会との関わり合いは、文化や福祉の分野にとどまらなかった。日系政治家への献金も惜しまず、それも民主党と共和党候補にかかわらず支援したので、不思議に思う人も多かったようだ。二〇〇四年、「ロサンゼルス・タイムス」のインタビューで、超党派支援の理由を問われ、アラタニはこう答えている。「日系アメリカ人が首都に行くのを助けたいんだ。たとえ彼らの政治理念が、私のものと違っていてもね」(二〇一三年二月二一日付追悼記事より)。これは、無節操とか軽薄とは正反対の、鉄のように重い言葉だ。日系人に生まれついたがゆえに、アメリカ市民としての権利を剝奪され、あらゆる物を失い、グラウンドゼロからの人生の再建を迫られる経験をしたからこその、切実な思いだと想像できる。アメリカの掲げる民主主義の矛盾をとことん知り尽くし、裏切られてもなお、その根本理念の尊さを信じ続け、自分にできることはやり尽くすという、つねに前向きで積極的なアラタニの人生観の表れだろう。

まさに私が知っているアラタニは、生きることに「積極的」だった。サカエ夫人との頻繁な来日時、また後にはアメリカでも会う機会のあったアラタニは、私の記憶のなかで「いつまでも老いない不思議な人」だった。八〇代になっても健康的に日焼けし、テキパキとした身のこなしをする長身の彼は、外見だけをとっても、バイタリティーに溢れていた。大学生の時、「いったいどうやったらそのように若くいられるのか」と聞いたことがある。すると何十年ものあいだ、両親の故郷近くで生産される湧永《わくなが》製薬のキヨーレオピンを、毎朝医薬用カプセルに四分の一ほど服用しているという。良いことを聞いた、と思ったものの、濃縮熟成ニンニク抽出液だけが、彼の若さの秘密ではないことはわかっていた。それは、肉体だけでなく、知的好奇心、行動力など、さまざまな要素がともなうことで保たれる、複合的な若さだった。まさにアメリカの大地に日本人がまいた種が芽を出し、のびのびと、一気に大木へと成長し、強風に晒されることで、さらに深く根を張っていった好例なのだと思う。

大きくなった木は、その周りに集う人々を雨や風から守り、暑い日には快適な木陰を提供した。アラタニは、そのような自分がいなくなった後も、大切な人々の権利や尊厳が守られ、無事に暮らせる社会が築かれることを、心より願ったにちがいない。そう考えると、彼の民主党、共和党にこだわらない日系政治家の支援に、いっそう納得がいく。戦時に自国政府の命令によって収容された日系人だからこそわかり得る、民主主義の脆さや、少数派が背負うハンディキャップは、党派に関係のない、本質的な問題である。そして重要なのは、民主主義理念を死守するために戦える人材、そう『スミス氏都へ行く』のジェファーソン・スミスのような人間が、政治にかかわることなのだ。

収容所から始まった友情

アラタニがその信念をもって支援した政治家に、一九三一年、カリフォルニア州サンノゼ生まれの日系二世ノーマン・ミネタがいる。ミネタ家は第二次世界大戦中、ワイオミング州ハートマウンテン強制収容所に入れられた。この収容所は、「バッファロー・ビル」を名乗ったウィリアム・フレデリック・コーディが興したカウボーイの町、コーディのはずれに位置していた。勾留中は、ボーイスカウトによる同志の慰問訪問のようなものが行なわれ、ボーイスカウトだったミネタは、そこでアラン・シンプソンという少年と知り合う。それから四〇年以上にわたって友情の続いたミネタとシンプソンは、一九八八年、政治家として、ある法案の通過のために、ともに奔走する。ミネタは民主党下院議員、シンプソンは共和党上院議員という立場の違いにもかかわらずだ。

法案に署名するレーガン大統領(左から2人目がノーマン・ミネタ)

法案は第二次世界大戦の「民間人収容所」に関するもので、それが成立したことによって、アメリカ政府は、生存する日系アメリカ人の収容所経験者に二万ドルの賠償金を支払うことになった。政府はついに、戦時の違法な振る舞いを認めたのだった。と同時に、この法案成立のために、ミネタが超党派の立ち回りでみせた説得力と、正義と公益を最優先する姿勢は、彼の政治家としての真価をまわりに印象づけた。のちに民主党のビル・クリントン大統領、続いて共和党ジョージ・W・ブッシュ大統領の閣僚メンバーとして迎えられたことからも、ミネタの首都での評価の高さがうかがえる。

二〇一〇年、スミソニアン博物館の国立ポートレート・ギャラリーの常設コレクションに、数々の大統領肖像画を手がけた画家エベレット・キンストラーによる、ノーマン・ミネタの肖像画が加わった。肖像画の筆頭寄贈主は、アラタニ夫妻だった。日系政治家が、それも収容所の経験者が、存命中にアメリカ政治の殿堂入りを果たしたのだった。それは社会的、法的に迫害を受けた日系人コミュニティにとって、人の一生という、考えようによっては短期間で達成した、確実なマイルストーンだった。ミネタの肖像画が語りかける日系アメリカ人の軌跡を知ることは、現代の日本人にとって、より深くアメリカを知るための、見過ごされがちな近道でもある。

第Ⅶ章　消えた真珠湾攻撃記念日

六〇〇〇マイル、慈悲の旅

所持金が尽きて

感謝祭も過ぎると、四人の懐具合はいっそう深刻になっていた。乗船予定の飯野海運の貨物船「健島丸《たけしままる》」は一一月二五日土曜日の夕刻に入港するが、出航は早くても翌週の月曜日、遅ければ水曜日まで延びる可能性があるという。いざという時はカメラを売り飛ばそうと笑っていた四人だったが、ロサンゼルス滞在も一週間近くなると、冗談では済まされなくなってきていた。心許なさは、船が入港予定だった土曜日に膨らむ。乗船に備え荷物の整理も済ませたが、電話で確認すると、予定がだいぶ遅れていて、早くても月曜の晩の到着と言われた。しかたなくＹＭＣＡで有り金をはたいて、二日分の延泊を申し込んだ。この時点で宇津木はすでに赤字になっていたので、ほかの三人のわずかな残金を借りて、なんとか身動きがとれるありさまだった。

それでも食生活に関していえば、ロサンゼルスはアラタニ一家を始めとして若者にご馳走してくれる目上の人たちに事欠かなかった。すっからかんではあったが、栄養は案外しっかりと取れていたようだ。たとえばその土曜日の晩は、急きょ、細野軍治の知りあいの弁護士ミスター・チョートの自宅に招かれ、皆で夕食をご馳走になっている。夫妻のほかに、ポモナ大学在学中の息子ティモシーもいたが、もう一名、ゲストが招かれていた。上井義雄という人物だった。彼は南カリフォルニア大学留学時代からだけでなく、ジュネーブのＩＬＯ勤務も重なった、細野軍治の旧友だ。ミスター・チョートは、四人に新渡戸稲造の署名入りの写真を見せたりしていることから、彼もジュネーブの国際連盟関連組織に繋がりがあった（新渡戸は連盟設立時より事務次長を務めた）のではないかと推測できる。

翌日の日曜日、今度は上井が四人をもてなしてくれた。車で南カルフォルニア大学、ＵＣＬＡの見物に行っている。細野は両大学とも、キャンパスの真ん中に星条旗が掲げられていることに着目した。ＵＣＬＡにいたっては州立大学のため、カリフォルニア州旗も一緒に掲揚されている。これがアメリカ合衆国における、さりげなくも抜かりない、愛国心、愛州心教育の施し方なのか。おそらくそこで暮らす人には意識されない、訪問者ならではの気づきだった。その後の昼食は、上井邸でご馳走になった。上井氏が留学時代に知り合った日系二世のルース夫人は、白ご飯を用意して待ってくれており、朝食抜きの四人には、お米がより美味しく感じられたようだ。そこでも前日のチョート邸と同じで、一家の息子が同席した。一九三〇年生まれの青年アーサーは、当時、成人教育の教師をしていたのだが、実はその三〇年あまりの人生の裏には、太平洋をまたいだドラマがあった。

敗戦直後の東京で、活発なティーンエージャーだったアーサーは、ポリオ(小児麻痺)に感染した。一命は取り留めたものの、当時の日本の医師は、この急性感染症についての知識に極めて乏しかった。ロサンゼルスの母方の親戚が奔走し、アメリカの権威に助言を仰ぎ、それを日本の担当医に電信して初期治療法を行なう有様だった。本格的な治療はアメリカでしかできないと確信した家族は、どうにかアーサーを渡米させようと必死になる。GHQへの出国申請は二度却下されるが「三度目の正直」とはよく言ったもので、三回目の直訴が、マッカーサーの心変わりを促した。「人道的立場から」アーサーの渡米が認められたのだ。アメリカ人の母親をもつ日本の少年を窮地から救うことは、進駐軍のイメージアップに貢献すると判断されたのだろう。

そして一九四七年六月、彼は母ルースに付き添われ、船でサンフランシスコに到着し、そこから電車で、ロサンゼルス入りしたのだった。一歳になったばかりの末の妹ミエコも一緒だった。ストレッチャーで下半身の麻痺したアーサーが運ばれる模様は、当時の新聞に「ダグラス・マッカーサー将軍によって手配された、六〇〇〇マイルの慈悲の旅」というヘッドラインで報道されている（必要最低限の付き添いしか許されなかったために、一家全員で渡米できたわけではない。アーサーのすぐ下の妹コニーは学生ビザで一九四九年に、父親の上井はさらに遅れて、一九五二年に渡米を果たしている）。

母の故郷アメリカでアーサーを待っていたのは、一連の実験的形成外科手術だった。自らの健康な筋肉組織を、麻痺した両脚に移植するという大手術で、一九四七年から一九五〇年の間に受けた手術の回数は五回に及んだ。厳しいリハビリを全うし、ついに彼は左足に装具を着け、杖を使いながら、自立した生活を送るまでに回復する。そのうえ泳いだり、車を運転したりという活動的なライフスタイルを、周りの協力と、自らの努力で築き上げたのだ。学業にも真剣に取り組んだ。すぐに英語を習得し、一九五二年、二二歳で地元のハリウッド高校を卒業すると、理数系の名門カリフォルニア工科大学で医学校予科コースに入学する（在学中、合衆国市民権も獲得している）。さらに医学校は、東海岸メリーランドにある全米屈指のジョンズ・ホプキンス大学に二年間通った。だが最終的には体力の限界を感じ、ロサンゼルスで教育に従事することを決意する。専門として成人教育を選んだのは、目的意識のある生徒を助けることに生き甲斐を感じたからだという。二〇〇五年に病気で亡くなった際も、戦後史と深くかかわるその数奇な運命と、教育界における功績に注目が集まり「ロサンゼルス・タイムス」は、写真入りでお悔やみ記事を掲載している。

一行と出会った一九六一年は、アーサーが教員免許を取得してから、数年経ったころのことだ。宇津木の日記にも、細野の日記にも、アーサーの歩行についての記述は見当たらない。私は上井義雄関連のリサーチをしているなか、前述のお悔やみ記事を目にしてアーサーの人生に興味をもち、アーサーの妹、夫人、娘さんにお話を聞いた。おそらくアーサーは、上井邸でハンディキャップを感じさせないほど機敏に動き、四人の世話を焼いたにちがいない。昼食後には車を出して、当時父親が勤めていた東宝劇場の試写会に連れて行ってくれた。

ロサンゼルスで日本映画を観る

試写上映されたのは、『ハワイ・ミッドウェイ大海空戦　太平洋の嵐』(*I Bombed Pearl Harbor*)だった。夏木陽介演じる空母「飛龍」の搭乗員の視点からみた、太平洋戦争緒戦を描く一九六〇年の東宝作品だ。キャストも豪華で、三船敏郎が、ミッドウェーで「飛龍」とともに散る山口多聞司令官役で出演している。占領下の検閲から解き放たれた日本の映画界が、巨額の製作予算を投じて作った、一般大衆向け戦争映画の典型といえるかもしれない。「なぜ戦争が戦われなければならなかったのか」、「ほかに選択肢はなかったのか」といった議論には触れず、日本の行なった戦争を否定せず、かえってそのために払われた犠牲を純粋で尊いものと強調する現在に続くナラティブが、そこにはある。

四人もアメリカで、まさかこのような映画を観るとは思ってもみなかっただろう。いわゆるハリウッドの娯楽映画は、ロサンゼルスのドライブインシアターで、何本か鑑賞していた。だが比較的新しい日本の戦争映画を、劇場の大画面で観たのだ。宇津木は英語の字幕のほうが、日本語の字幕よりも読みやすい、不思議だ、という感想を残している。文字数や字体の違いも関係しただろうし、喋っている日本語を理解したうえで、英語字幕を追ったからということもあるのだろう。一方で細野は、この映画の宣伝がかなり積極的に行なわれている様子に日記で触れている。パンフレットには、対日戦の戦意高揚のスローガンとなった、アメリカ人ならば誰もが知っている“Remember Pearl Harbor”(真珠湾を忘れるな)という文句が書かれており、「対日感情を悪化させ、こちらの日系人にとって逆効果」なのではと危惧している。たしかに日本の、それもあくまでも軍事面から太平洋戦を捉えた大衆映画に、なぜ「真珠湾を忘れるな」を使ったのか、その意図が解せない。私がアメリカにこの作品を紹介する宣伝担当だとしたら、“The Other Side of Pearl Harbor”(対岸から見た真珠湾)とか“Another Way to Remember Pearl Harbor”(もうひとつのリメンバー・パールハーバー)といった、せめて語呂合わせ的な方法で、史観や記憶の多様性を示唆する方法を試みると思う。

と同時に、八〇年を経た今、果たして日本の一般市民が、真珠湾攻撃をどれほど記憶にとどめているだろう、とも考えさせられる。原爆の記憶(そしてある程度は、焼夷弾による都市空襲の記憶)は、我々日本人の平和を願う原動力として息づいている。もちろん平和を祈る気持ちは重要だ。しかし祈り自体は、やっかいだが大切な問題を探る努力の代替にはならない。これまでもさまざまなジャーナリスト、学者、市井の人々が、なぜ日本が多大な犠牲を国内外でともなう戦争を始めたのか、問題提起してきた。にもかかわらず、なぜ捨て鉢の戦争が戦われたのか、つまりなぜ日本が真珠湾攻撃を仕掛けたのか、誰がどのようにしてその決断へと日本を導いたのか、他に選択肢はなかったのか——こうした「そもそも」の問題が、一般的に掘り下げて論じられることは、少ないように感じられる。より多くの人が、自分たちの国が背負う歴史に対峙すべきという意味で、「真珠湾を忘れるな」は、皮肉にも現代の日本人にこそ使われるべきスローガンなのかもしれない。

四人は映画鑑賞をした後、アーサーに連れられて、一九三〇年代に建造されたアール・デコ様式のグリフィス天文台を訪れている。実は前の晩、すでにチョート家の子息ティモシーに案内されていたスポットだ。だが霞のかかった夕刻のロサンゼルスも、夜景とはまた趣が異なり味わい深かった。この日本に縁深い街は、どれだけ多くの日本人、日系人の人生を見届けてきたのであろうか。

ある判事の一生

弁論大会を機にブラウン大学へ

四人がアーサー・カミイと一望したロサンゼルスはまた、アーサーの母方の家族が、二〇世紀初頭より深く根を下ろした土地でもある。アーサーの母ルースと、その弟、妹たちは、静岡県出身の両親のもとに、全員がロサンゼルスに生を受けた。そのロス生まれの子供たちのなかでも、ルースのすぐ下の弟で、日系人で初めて司法職に就き、カリフォルニア州判事にまで上りつめたジョン・アイソは、その社会的立場と功績から、広く知られる存在だった。生前にインタビューされる機会も多く、一九七二年、自らの生い立ちと半生を語った記録は、UCLA

のオーラル・ヒストリー・プログラムに保管されている。それによるとアイソは一九〇九年、父親が経営していたバーバンクの農場で生まれた（姓の「アイソ」は、「相磯」と書き、祖先が相模湾の磯辺の出身であったことを示唆している）。程なくして農場を手放した父は、ハリウッドで庭師として活躍するようになる。ビバリーヒルズやベルエアーは開発以前で、当時はハリウッドこそがパサデナに次ぐ高級住宅街だったのだ。そして富裕層の集中する場所では、例に違わず、日本人の庭師が重宝されたのである。

学生時代のジョン・アイソは、飛び抜けて成績優秀かつ人望も厚かった。中学校では生徒会長に選ばれるが、父兄のあいだに、彼が日系であることを不満に思う者がおり、当選を取り消されるという屈辱を味わっている。さらにハリウッド・ハイスクールでは弁論で頭角をあらわし、合衆国憲法についてのスピーチで地区大会優勝を果たした。首都ワシントンDCで開催される全国大会への切符を手にしたのだが、ここでもまた横槍が入る。校長に「卒業生総代の名誉を選ぶか、全国大会に出場するかのどちらかを選べ。両方を独り占めすると問題になる」と圧力をかけられたのだ。結局アイソは総代になることを選び、あくまでも裏方として、代役を果たす学生をコーチするために、全国大会に同行した（これは、アイソの大会棄権を不審に思った「ロサンゼルス・タイムス」の発行主ハリー・チャンドラーが、「スミス氏」という名義で、秘密裏にアイソの費用を負担し、実現した旅だった）。結果として、この遠征旅行がその後のアイソの運命を切り拓くことになった。決勝会場で知己を得た松平恒雄《まつだいらつねお》駐米大使の伝手で、ブラウン大学学長ウィリアム・フォーンス博士に紹介されたのだ。東海岸の大学への進学を夢見ていたアイソは、この出会いがきっかけとなって、アイビーリーグの名門ブラウン大学への奨学金を手にする。

高校卒業とブラウン進学までの一〇カ月間を、アイソは東京の成城学園で過ごしている。日本語力強化のためだった(社会人になってからは中央大学の法学部でも学んでいる)。幼いころからアイソには、両親との関係をより近しいものにするためにも、日本語を大切にしたいという気持ちが強かった。そのため日本語の補習校に行くことを、当然だと考えていた。だがある日、公立小学校の教師に「ジョン、ここはアメリカだから、あなたの両親は英語を話すべきだ。日本語を勉強するのはアメリカ人らしくない」と咎められる。それでもアイソは、同世代の二世の多くとは違い、日本語を勉強することを止めず、そのことが将来、彼にとっても、そしてアメリカ政府にとっても、大いに役立つことになる。

ブラウン大学では経済学を学び、優等で卒業した。その後ハーバード・ロースクールで法律を修め、ニューヨーク州弁護士となる。国際法に興味を抱き、ジュネーブのＩＬＯに駐在していた義兄の上井義雄と姉ルースを訪ねてもいる。当時のアイソには「自分は日本人ではないが、アメリカ社会の主流とは完全に馴染めない」という思いも強く、国際協調主義の未来にこそ、大きな希望を見出していた。国際機関で職を得る可能性もさぐったが、連盟加盟国でないアメリカ国籍保持者だったため、それは叶わなかった。

それでも「国際的なキャリアを築きたい」という気持ちは、相当に強かったようだ。上井から細野軍治を紹介され、細野がさらに当時、同盟通信の上海支局長をしていた松本重治《しげはる》に紹介した。松本の口利きが功を奏して一九三六年、ブリティッシュ・アメリカン・タバコ社に、英米法の専門家として職を得る。しかし中国大陸でアイソに課された使命は、国際協調主義の推進というよりは、大企業の資本利益追求に偏っていた。具体的には、香港の司法管轄下にあったブリティッシュ・アメリカン・タバコの子会社を、満州国の司法下に置くことだった。治外法権を放棄することで、満州国内でのタバコ専売を許されたのだ。この時期、アイソは満州国の重鎮であった岸信介や星野直樹と接触したり、関東軍にスパイ嫌疑をかけられ尋問されたりと、冒険に満ちた日々を送っている。ところが重症の肝炎に感染してしまう。築地の聖路加病院で治療を受けるも回復が芳しくなく、帰米を余儀なくされた。この数年間の経験が、結局は、アイソのアメリカ人としての、そしてカリフォルニア人としての自覚を、より強固なものとすることになった。

ロサンゼルスに戻ったアイソは、回復するなかで、カリフォルニア州の司法試験を受ける決心をする。ニューヨーク州の司法試験に合格してから六年の月日が経っていたが、東海岸、ヨーロッパ、アジアを旅し、アメリカを離れたことで、初めて自分のなかの生まれ故郷の大きさに気づいたのだった。そして一九四一年一月に合格し、その三カ月後には陸軍に徴兵されている。軍事情報局勤務となり、日米開戦後は、ジョージ・アラタニが教員として派遣されたミネソタの陸軍語学学校ＭＩＳＬＳの校長に任命された。二等兵からスタートした階級も、数年のうちに中佐にまで昇進し、第二次世界大戦中、日系人として最高ランクの将校となった。

アラタニは先述の伝記『アメリカの息子』で、アイソのことを「伝説的な人物」と形容している。その評判はＭＩＳＬＳに勤務する以前、子供の頃から聞き知っていたという。アイソの高校時代の弁論大会にまつわるエピソードは、当時の日系コミュニティの怒りと誇りの源だったことがうかがえる。語学学校の上司として実際に接したアイソも、アラタニの期待を裏切らなかった。親身になって相談に乗ってくれ、的確なアドバイスを惜しまないアイソに対し、さらに畏敬の念を深めたのだった。

戦争が終わると、アイソは占領下の日本で、屋台骨となってGHQの日本統治を支えた。小児麻痺になった甥のアーサーが、特例で渡米を許されたのも、アイソが直接マッカーサーに掛け合ったからだった。退役後はカリフォルニアに戻り、ロサンゼルス市裁判官、カリフォルニア州控訴裁判所判事などを歴任する。若い頃夢見た「国際的」なキャリアではなく、公務員として、生まれた街と州に深く関わった後半生だった。だがロサンゼルスを愛し、法の支配に人生の大半を捧げたこの判事に訪れた終焉は、あまりにも悲しいものだった。一九八七年一二月の寒い午後、ハリウッド・ブルバードのセルフサービスのガソリンスタンドで給油中だったアイソは、路上生活者と思しき男に襲われ、アスファルトに打ちつけられた。頭部に外傷を負い、二週間後、生まれた町バーバンクの病院で、七八歳で亡くなった。犯人は、結局捕まらずじまいだった。

差別の歴史の新たな一章

この襲撃強盗事件が、今日でいう、人種や性的指向・性自認など特定の集団を標的にした「ヘイトクライム」であったのかは、定かでない。当時の新聞記事でも、おおむね強盗未遂の犯罪であったという見方がされている。私も、小柄で高齢のアイソが財布を取り出して給油していたところを、犯人は「いいカモが来た」とばかりに襲ったと考えるのが、妥当なのではないかと考える。しかし二〇二一年五月二〇日、アイソの人生を特集した母校ブラウン大学の新聞「ブラウン・デイリー・ヘラルド」は、この襲撃致死事件を、アジア人に向けたヘイトクライムの可能性も示唆する文脈で語っている。「悲しいことに、アイソは暴力の犠牲者として人生を終えた。それがアジア人に向けた暴力であったかどうかはわからない。でも、それを疑いたくなる」とする学者のコメントを載せているのだ。この見方はコロナ禍以降にエスカレートした、アジア人に向けられるヘイトクライムという、現在のアメリカ社会の現状と関心を、そのまま反映しているように感じられる。以前は「日系」アメリカ人の星であったアイソの人生が、「アジア系」アメリカ人の成功と悲劇のシンボルとして修正され、語り直され始めているのではないか。記事のヘッドラインも、アイソを「ブラウン大学の、最初のアジア系アメリカ人卒業生」として紹介している。

もちろんアメリカにおけるアジア人差別は今に始まったことではない。それをアイソ自身も、「日系」差別と同時進行で経験しただろう。だがトランプが「チャイナ・ウイルス」と糾弾したコロナ・ウイルスによるロックダウンが一段落し、ワクチンによって新たな希望が見え始めたアメリカで、アジア系を標的としたヘイトクライムが急増し社会問題化しているのは、たしかなことだ。長い差別の歴史に、また新しい一章が書き加えられつつある。それを個人的に感じたのは、二〇二一年三月一六日に起こった、ジョージア州アトランタでの銃撃事件だった。

二二歳の白人青年が、マッサージ店を銃撃し、アジア系の女性六人を含む八人が死亡した。この事件の翌日、近所のスーパーで買い物をしていると、レジの黒人女性が突然、深刻な面持ちで話しかけてきた。「ひどいことになってしまって、大丈夫？」と。一瞬、何のことかわからなかったが、彼女が「南部の銃撃」という言葉を口にしたのですぐに察して、「心配してくれてありがとう」と返した。すると「差別や憎悪はいつでもあったし、どこにでもあるだろうし、これからもあると思うわ」と堰を切ったように話しだす。「でも憎しみを行動に移しても一向に構わない、という考えを、残念ながらトランプが大勢の心のなかに植えつけてしまったのよ」。その曇った表情が、忘れられない。

この会話以降、私の生活圏内だけでも、日曜礼拝のために教会に向かうフィリピン人女性が襲われたり、空き瓶を収集していた中国人男性が背中を刺されたりと、不穏なニュースが絶えない。そして私自身も、地下鉄のプラットホームで、なるべく内側に立ったり、街を歩く際も極力早足で歩いたりと、容易な標的にならない努力を、知らず知らずのうちにしている。対アジア人ヘイトクライムに、「日系」だとか、「韓国系」だとか、「中国系」だとかの違いは、関係ない。また勲章をもらった退役軍人でも、弁が立ち尊敬される判事でも、はたまた宇宙飛行士でも、社会的立場は何ら意味をもたない。二〇〇一年の九・一一アメリカ同時多発テロ事件直後に、シーク教徒のインド系アメリカ人が「テロリスト」と勘違いされて襲撃されたことからもわかるように、激しい憎悪の矛先は「それらしい」人々に、問答無用で向けられる。

理不尽でランダムな差別、それも暴力をともなう差別に対抗するには、結局「言葉の力」しかないと、小説家ヴィエト・タン・ウエンは書く。ベトナム生まれ、アメリカ育ちで、南カリフォルニア大学で教鞭を執るウエンは、現在を先取りするかのようにライブラリー・オブ・アメリカに寄せたブログポストで、アメリカ社会における黒人の立ち位置を、アジア人のそれと並行させて論じている(二〇一五年六月一五日)。ウエンは息子を「エリソン」と名づけるほどラルフ・エリソンを敬愛し、ここでも小説『見えない人間』を引用し、論じる。アジア人も黒人同様、アメリカ社会において「見えない」存在だと。エリソンの指摘した「不可視性」という問題には、二重の意味があった。一に、存在自体を気づかれない場合。二に、黒人というカテゴリーに属する者としてしか認められない、つまり個人として見てもらえない場合。前者は物理的に「見えない」状態に近く、後者は、あくまでも人間ではなく、タイプとして「見えすぎる」状態を指す。

グエンは自らが「見えすぎる」状況に置かれた際の思い出として、とある名門大学で行なわれた晩餐会での経験を語る。アジア人はグエンだけで、同じテーブルには、太平洋戦争中、爆撃機のパイロットだった男性がいた。そのお偉方風の老人は、なんの脈絡もなく唐突に「日本に原爆を投下したのは、正しい判断だった」と言い放った。グエンはそれを、アジア人の自分に向けられた「いわれのない警告」として受け止めた。ここで、差別的な態度に言葉で対処したり、反論できるのは、民主主義が正常に機能している証ともいえる。さらにそのような経験が小説の糧となり、文学的イメージが湧き出ることもあるだろう。しかし、いかにして暴漢に襲われたり、銃撃されたりせずに生き延びるか。それが、不可視性よりも切実な問題となっている現実がある。「生命、自由、幸福追求」を建国理念として掲げる国家が、銃規制問題を筆頭に「安全」とはいえない社会を営むという皮肉な状況がここにある。生命がなければ自由もなく、幸福も追求できないのだから。

船出

リトル・トーキョーでの最後の昼食

天文台からYMCAに戻ると、うれしいニュースが待っていた。健島丸がその晩遅くに入港し、翌日には乗船できるという。宇津木は「情報が猫の目のように変わるので、喜んだり、ガッカリしたり、忙しい」と記している。翌朝、飯野海運に出向くと、午後には乗っていいということで、朝のうちに荷物をまとめて無事チェックアウトの運びとなった。

随分と増えた荷物とともに、アラタニの事務所に向かう。そこで荷物を預け、昼食は鮨をご馳走になった。リトル・トーキョーの店だった。細野の記載から推察するに、どうもその頃のリトル・トーキョーは、部分的にかなり寂れていたようだ。私の頭のなかでは小綺麗なイメージがあり想像し難いが、ロサンゼルス市は当時、どうにかしてこの地域の美化を進めようと躍起になっていた。戦前は日系コミュニティのハブとして活気に溢れていたが、戦中の強制立ち退きで住民が追い出されて以来、黒人、メキシコ人の貧困層が移り住んできていた。戦後は再活性化を目標に、日系人による不動産の買い戻しが徐々に行なわれるようになったが、それでもスラム化した部分がまだあった。道ひとつ隔てればアール・デコ全盛期に建てられた瀟洒な市庁舎があるロケーションだけに、その荒廃ぶりが余計目立ったのだろう。後にジョージ・アラタニ夫妻は、巨額の資産をリトル・トーキョー復興に注ぎ込み、それを記念する「アラタニ広場」が「ジョン・アイソ判事通り」に建設されることになる。

四人がロサンゼルス最後の昼食で、アラタニに握り鮨をご馳走になったことを知り、私も郷愁に似た感覚をもった。彼らの旅から三〇年近く経った一九九〇年ころだと思う、家族でロサンゼルスを訪ねた際、私たちも同じように江戸前の握り鮨をご馳走になっていた。その時、私はカウンターでアラタニの隣に座った。すると「米が崩れぬよう、ネタの部分にだけ醬油をつけるように」優しく手解きされた。よほどひどい食べかたをしていたのだろうと恥ずかしい反面、握り鮨を食す機会があると、いつも懐かしく、ありがたく、アラタニの教えを思い出し続けている。

昼食後、ふたたび四人はアラタニの事務所にお邪魔し、野球をして暇を潰した。会社の人の案内で夕食も済ませ、さらには夜食のハンバーガーまでもって、いよいよ船に乗る。食いっぱぐれることも多かったバス旅行のせいか、いささか用意が周到すぎたようだ。船のクルーは早い時間の乗船を予想して、四人の夕食をしっかりと準備して待ってくれていた。いずれにせよ、もうこれで食べ物や宿の心配とはおさらばだった。

それからの一七日間、一行の宿となり、生活の場となる健島丸は、一九五三年に建造された八八五三総トンの船だった。正式には「高速貨物船」であったが、少数の客室を有しており、

「貨客船《かきゃくせん》」という呼びかたをしていたという。宇津木と増尾が、ただ一室のデラックスルームに入り、細野と父は、比較的狭い部屋で同室した。娯楽設備は将棋、囲碁、トランプ、チェス、輪投げなどがあったが、麻雀はなく、四人をがっかりさせている。

健島丸

船酔いに苦しめられる

船の乗組員は五三人で、そのなかには客室担当の「ボーイさん」もいた。自動操舵機を備えていたため、ブリッジに常時配置されるのは二名だけとのこと。豪華客船とは程遠いコンパクトな船ではあるが、そのスピードといい、装備といい、なかなか近代的だった。当時、飯野海運は、このほかにも「康島丸《やすしま》」、「常島丸《つねしま》」、「富島丸《とみしま》」、「宗島丸《むねしま》」、「昌島丸《まさしま》」などの貨客船を日米間で運航しており、一九六三年発行の世界旅程表によると、これらの船がニューヨークとロサンゼルスから横浜に向けて出航し、サンフランシスコ、ハリファックス、またはモントリオールに戻るルートで定期航海していた。アメリカ市場向けと思しきポスターには、舞妓さんと五重塔が描かれ、ポップでエキゾチックな雰囲気を醸し出している。「素敵な旅の仕方……速くて近代的な貨物船で」という謳い文句で、この一風変わった太平洋の横断法が宣伝される。

四人の旅からちょうど八年後の一九六九年一月、健島丸は、歴史にその名を残す活躍をしている。ジャパンライン社所有の大型撒積《ばらづみ》貨物船「ぼりばあ丸」が、千葉県野島崎沖で沈没した際のことだ。健島丸は遭難信号をいち早く受信し現場に駆けつけ、救命艇も降下できないほどにうねる波間から、漂流する乗組員二名を救助したのだ。その後も約一〇時間にわたって捜索活動を続けたが、残りの三一名の乗組員は発見できなかった。そして神奈川県本牧沖で救助者を引き渡し、健島丸は目的地のカリフォルニアに向けて続航したのだった。四人がお世話になったクルーが、この一大海難事故の救助にどれほど直接に関わっていたかは確認できない。だがひとたび海が機嫌を損ねれば、「素敵」で「近代的」な旅も、大変な危険と隣り合わせであることが実感できるエピソードだ。

四人がどこまで海の危険を感じたかはわからないが、船酔いは十分にあった。とくに増尾を除いた三人は、それぞれ入れ替わるように調子が悪くなったり、少し良くなったりを繰り返している。乗船の翌日、船が夕闇に包まれ始めたロサンゼルスの岸を離れると、すぐに揺れが始まった(まったくの余談だが、この日は一一月二八日で、ちょうど一〇年後のこの日に私は生まれており、勝手に因縁めいたものを感じる)。船出を祝うためか、夕食には大きなサーロイ

飯野海運のパンフレット(1960年代初頭)

ンステーキが出され、船長、機関長、事務長などとも同席し話が弾んだ。だが翌朝が大変だった。日が昇る頃には、船がさらに揺れている。宇津木は起き抜けから「頭がフラフラし」、レストランのような優雅な朝食を前にしても食欲皆無で、紅茶だけで済ませた。一方細野はテーブルについた時点ではそれほどではなかったのに、座っているあいだに気分が悪くなる。脂汗が滲み出てくるほどで、結局トマトジュースだけで退散した。少し休んでから、もう大丈夫かと起き上がって歩いてみるが、急に吐き気が襲ってくる。結局、細野と宇津木はベッドに潜り込み、昼までを過ごした。昼近くになり目が覚めると、曇り空も晴れ上がり、カモメが青空を舞っている。二人とも気分が良くなり、日本食と決まっている昼食には刺身が出て、堪能している。

船の人の話を聞くと、前の晩、その一帯では珍しく、海が時化《しけ》たという。いきなり初日から荒波の洗礼を受けたことになるが、先は長い。実はまだ、アメリカに別れを告げていなかったのだ。午後三時ごろ、前方向にゴールデンゲートブリッジが見えてくる。七週間前、飛行機酔いでふらふらの四人が初めてアメリカ大陸に降り立った、懐かしの街サンフランシスコだ。ここで一停泊した後に、本格的な大海原での航行が始まるのだった。赤い橋の下をくぐり抜け、重罪人の収容で知られるアルカトラズ島が見えてくる。やがて市街の急勾配の坂が浮かび上がってきた。船がゆっくりとピア45に接岸する。加州住友銀行の行員が出迎えてくれた。下船した一行はYMCAやグレイハウンドバスの乗車場を通り過ぎ、日本人街に案内された。そこで土産物屋を冷やかし、天ぷらをご馳走になり、前回の滞在とは、まったく違うサンフランシスコを経験している。

翌日の一一月三〇日は、いよいよ本当にアメリカとお別れだ。午前中は街をぶらつき、チャイナタウンで麻雀セットを探したが、いずれも高価で重い物ばかりで諦めた。船に戻り、待機すると、いよいよ船出を告げるドラが鳴ったのは夜の九時だった。結構な雨のなか、皆で甲板に上がり、遠くなるサンフランシスコをしばし眺める。宇津木にしては感傷的に「また何時の日にこの夜景を見ることができるだろうか」と書いている。やがて橋の灯も見えなくなり、そこここに散らばる民家の明かりも消え、暗闇のなかに波の音が響くだけになった。

コミュニストの見たアメリカ

旅先でもとめた一冊の本

船がアメリカを離れるころ、細野は『フルシチョフが見たアメリカ』という本を読んでおり「大変興味深い」と日記に残している。フルシチョフの訪米ルートは、四人のたどった道のりと重なる部分も多く、細野がこのアメリカ紀行をどう読んだのか、こちらこそ興味をそそられた。本人にメールで確認をとったところ「恐らくアメリカで購入した」のであろうが、残念ながらそれを読んだことさえ思い出せないという。

四人の旅の二年前、一九五九年九月一五日からおよそ二週間にわたって、ニキータ・フルシチョフソビエト連邦共産党書記長は、ソ連の指導者として初となる訪米を実現させた。旅がスタートした時点でこそ、フーヴァーFBI長官が率先して行なった情報操作の効果もあり、メディアはフルシチョフを悪魔、または道化師のように、戯画的に描く傾向があった。だが実際にフルシチョフを目にした大衆は、確実に、急速に、彼の不思議な魅力の虜になっていく。機転の利いたスピーチをし、笑顔を絶やさない根っからのショーマンでありながらも、時折見せる冷徹さや、気難しさの片鱗さえもが、かえって人間性の証となり、多くのアメリカ人の心を摑んだ。たとえばロサンゼルスでは、セキュリティー上の理由からディズニーランド訪問をキャンセルされた。すると「ここは本当に自由の国なのか。自分は囚われの身ではないか」と、駄々っ子のように憤慨してみせた。そもそもこのロードショーを企画したアイゼンハワー政権には、フルシチョフを威嚇《いかく》する意図があった。東海岸、西海岸、中西部を巡らせ、さまざまなアメリカの側面を見せつければ気後れし、交渉相手として扱いやすくなるだろうと踏んだのだ。だがそれは戦後アメリカの絶頂期の奢りが招いた、とんだ計算違いだった。

この歴史的な訪米の記録を、同行したフルシチョフの娘婿でジャーナリストのアレクセイ・アジュベイがまとめた本の英語版 *Face to Face with America: The Story of N.S. Khrushchov's Visit to the U.S.A.* が、細野が旅行中に購入したと思われる著書だ（日本では一九六〇年、カッパ・ブックスから『フルシチョフじかに見たアメリカ——コミュニスト、資本主義国へ行く』として出版されている）。敵陣におけるフルシチョフの見事な立ち回りを記録した武勇伝でもあるこの本は、また同時に、スターリン独裁から脱したソ連が、新たな対話をアメリカと始めたことを記念する出版物でもあった。だがこの旅の翌年、一九六〇年のメーデーには、米偵察機U－2が、ソ連領空で撃墜される。フルシチョフは公の謝罪をアイゼンハワーに要求するが却下され、米ソ首脳会談が頓挫し、一気に二国間の緊張が高まる結果となった。それはまた一九六二年秋のキューバ危機への導線だった。

私は俄然この本を読んでみたくなったのだが、英語版も、日本語版も入手が困難だったため、とりあえずティム・トイジェ監督の『フルシチョフ アメリカを行く』(*Khrushchev Does America*)を観ることにした。これはフルシチョフのアメリカ横断旅行にスポットライトを当てた二〇一三年公開のドキュメンタリーだ。トイジェは主張する。米ソがキューバ危機で核戦争を回避できたのは、ケネディ大統領の政治手腕のおかげでも、フルシチョフの瀬戸際外交の成果でもない。では何によってアルマゲドンを免れたのかというと、それはフルシチョフが一九五九年の初訪米で育んだ「アメリカ愛」だったのではないか、と。つまりこういうことになる。「訪米によって、アメリカの大衆が人間としてのフルシチョフに親しみを感じるようになった反面、ソ連の指導者も、アメリカをより親密な眼差しでみるようになった。だから、とてもその国に核兵器を使う気にはなれなかったのではないか」

これは面白いがいささか突飛な分析ではないかと私には感じられた。そこでフルシチョフの「専門家」はどう考えるのか聞こうと思い、旧友ニーナ・フルシチョワに連絡した。名前からも察せられるとおり、彼女はフルシチョフの孫(そしてアジュベイの姪)でもある、ニューヨーク在住の国際政治学者だ。するとニーナは「ひどい映画。アメリカ優越主義のプロパガンダだわ」と、滅多切りにした。私は「そこまでひどくないと思う」、「それに監督も元はといえばソ連生まれのロシア人だからアメリカ優越主義は感じなかった。かえってその批判だったと思う」と反論したが、ニーナはよっぽどこの作品に不満があったらしく、それ以上の議論にはいたらなかった。

たしかに問題のない作品ではない。たとえば真偽のほどが定かではない出来事も、それを裏づける映像がないまま「史実」として描かれる傾向がある。「フルシチョフのアメリカ愛」も、あくまでも推察の域を出ない。だが、だからと言って、フルシチョフに「アメリカ愛」がなかったかというと、そうでもない。初訪米の五年後に生まれたニーナに、親代わりとなったフルシチョフ夫妻は、英露バイリンガルの教育を受けさせている。そうやって育ったニーナ自身のなかにも、旧ソビエト(または現在のロシア)と、アメリカ双方に向ける、深遠な理解と愛憎が果てしなくからみあう複雑な想いを確認できる(と私は側で見ていて、よく思う)。

二〇二一年一月、キャピトルが暴徒に占拠された数時間のうちにニーナが発表したコラムは、その冷静な分析眼とウィットがうかがえる文章だった(たとえば彼女はこの暴動を、一九二三年、ヒットラーも参加した「ミュンヘン・ビアホール一揆」にたとえ、「ビール腹一揆」と比喩した)。たしかにアイゼンハワー政権は、フルシチョフを「アメリカ優越主義」という宗教に改宗することには失敗した。それでもニーナ・フルシチョワという、ふたつの大きく異なる政治システムを解説し、批評する逸材を生み出すことには、大成功したといえよう。

「アメリカ特有のパラノイア」

ニーナの神経を逆撫でしたアメリカ優越主義には、そのほかにもアメリカ例外主義、アメリカ孤立主義、アメリカ・ファースト、アメリカニズムなど、さまざまな似て非なる現れかたがある。だがそれらすべてに共通する要素がある。それは多くのアメリカ人が疑わない「われわれの生きかた」(Our Way of Life)の、本質的、道徳的な正当性だ。米歴史家のリチャード・ホフスタッターは一九六三年一一月、オックスフォード大学で行なった講演で、そのような過信をパラノイア、つまり「偏執症」にたとえた。この講演の背景にはバリー・ゴールドウォーター率いる保守派の台頭があったが、同じような病理現象が、どの時代のアメリカ政治にも当てはまることを、彼は指摘している。偏執症を病む人々は、自国やその文化が迫害されると信じるがために、攻撃的で、終末論的なスピーチで相手を徹底的に攻撃しようとする、と。この講演の記録は一九六五年出版のエッセイ集 *The Paranoid Style in American Politics: and Other Essays*(『アメリカ政治の偏執症的スタイル』未邦訳)におさめられている。

ホフスタッター的にみれば、それゆえに冷戦中のソビエト連邦は、アメリカにおいて「赤の悪夢」とか、「悪の帝国」として形容された。だが、果たして自国のありかたの優越性を過信することが、アメリカ特有のパラノイアなのだろうか。戦時中の日本が「鬼畜米英」プロパガンダを掲げ、ソ連もアメリカや西側世界を「資本主義者や帝国主義者の巣窟《そうくつ》」と糾弾したことを考えると、それぞれの国にパラノイアがあるようにも思える。だが彼はこう指摘する。アメリカの場合なにがそこまで特殊なのかというと、パラノイアが多かれ少なかれ社会に浸透し、「普通の人々」までもが当然のことのように大袈裟な表現を多用し、その世界観を疑うことなく生きていることだ、と。

これを私なりに解釈して補足してみる。アメリカでは「普通の人々」が、強制されるわけでなく、自由意志の名のもとに、国家レベルのパラノイアを享受している点で、例外的といえるのではないか。戦時社会や、独裁制社会、または警察国家において、偏執症的世界観を浸透させる(あるいは、させたようにみせかける)ことは、比較的容易であろう。同時に、それは国家統制、統一のために必要なことといえるかもしれない。だが自由社会の代表を自負するアメリカにおいては、星条旗を掲げ、それに忠誠を誓うことに始まり、「われわれの生きかた」を肯定する愛国者であることが、大前提として求められる。それが嫌なのならば出ていけばいい、ということなのだ。だとしたら自由とは一体何なのだろう。ここでふと、ミステリーの女王アガサ・クリスティーのある作品を思い出す。ヨルダンのペトラ遺跡を舞台にした『死との約束』だ。クリスティーは、フランス人心理学者ジェラール博士を形容する際、特定の国がより自由だという「幻想」についてこう述べている。「(博士は)賢かった。いかなる人種も、国も、個人も、自由とはいえないことを知っていた」。その代わりにあるのは、「さまざまな度合いの束縛」に過ぎないとも。差別のない世界がないように、束縛がない世界もない。すべてはその度合いの違い、ということなのだろうか。

宣教衝動

サンフランシスコからの乗船客

「われわれの生きかた」に帰依することは、時にアメリカを、孤立主義に傾かせた。だが外界を拒み、内に引きこもろうとすればするほど、より大きな反動が生まれる。歴史を通してアメリカの対外政策は、その価値観の普遍性を、自由貿易や民主主義などの原則とともに、「未開」の地にひろめようとする宣教衝動によって突き動かされてきた。その流れには、そのものずばりの「宣教」も含まれており、日本もそのターゲットとして例外ではなかった。もちろん結論からいえば、日本人が大規模なレベルでプロテスタントやカトリックに改宗するにはいたらなかった。それでも医療、福祉、教育などの分野で、近代日本が宣教師たちとともに歩んできたことは否めない。そして日本で生まれた宣教師の子供たちは、生まれ故郷への愛着を自然と育み、エドウィン・O・ライシャワーやオーティス・ケーリのように、日米の架け橋となる人もいた。

戦後には、大戦により中断された日本での布教活動を再活性化し、未来に繋げようとする努力もあった。まさにその目的で、聖公会の宣教師夫妻が、サンフランシスコから健島丸に乗船している。ウィリアム・ドレーパー牧師とノニー夫人だった。乗客もクルーも日本人ばかりの船ではあったが、違和感はなかったはずだ。というのも夫妻は流暢な日本語をあやつり、夕食後のトランプやスクラブルなどのゲームにも率先して参加し、すぐに皆と打ち解ける社交性をもっていたからだ。またドレーパー牧師は常に食欲旺盛で、船酔いなど物ともせず、出された料理をすべてを平らげる。だがある時、刺身についてきたワサビを一気に口に放り込んでしまった。まるで時代遅れのドタバタ喜劇のように「辛い、辛い」と大騒ぎし、皆を笑わせたという宇津木の記述が微笑ましい。

ドレーパー牧師が一九三〇年代半ばに聖職について以来、夫妻はおもに仙台に赴任していたが、第二次世界大戦に際し引き揚げを余儀なくされ、戦争中はルイジアナ州で過ごした。終戦後はすぐに仙台に戻って活動を再開し、今回が久しぶりの日本行きというわけではないようだった。おそらく本国の教会から一定期間の里帰り帰国を許され、アメリカに滞在した後、日本にまた戻るところだったのだろう。仙台で夫妻がどのような足跡を残したのか気になり、アメリカ聖公会関連の隔週情報誌「生きている教会」(*The Living Church*)のバックナンバーを調べてみた。するとドレーパー牧師は一九九九年一〇月九日、生まれ故郷のノースカロライナ州シャーロットで、九一歳で亡くなっていることがわかった。死亡記事によると、一九七二年に現役を引退し仙台基督教会の「名誉キャノン」という聖職位を与えられている。だがアメリカにすぐ帰ることはなく、一九九〇年ごろになってシャーロットに移ったことが、これはまた別の二〇一二年の教会内の報告に記載されている。さらに興味を引いたのは、子供のいなかった夫妻が、現在、仙台のキリスト教墓地に埋葬されているということだ。毎年一一月一日の「諸聖人の日」(万聖節)を記念するために仙台基督教会の信者が墓地を訪れ、ドレーパー牧師の記念碑周辺で祈りを捧げるそうだ。夫妻がいかに信者に寄り添い、活動していたかが感じとれるエピソードだ。この絆を築くために、彼らは何度、太平洋を航海したのだろうか。

正午位置記入板を手がかりに

夫妻の活動の舞台であった仙台基督教会もまた数奇な運命をたどっている。公式ウェブサイトによると、「聖堂は一九四五年七月一〇日の仙台空襲により消失《ママ》、一九六五年に再建された聖堂は二〇一一年三月一一日発生した東日本大震災により半壊・解体、三年後の二〇一四年三月一日礼拝堂聖別式が挙行されて現在に至っています」とある。空爆で破壊された聖堂の最初の再建が一九六五年だったということは、そのために、まだ現役だったドレーパー牧師夫妻が尽力したであろうことが察せられる。生まれた国アメリカと、文字どおり骨となって埋められることを望んだ国、日本。ふたつの国が戦った戦争がもたらした廃墟に直面したとき、夫妻はいったい何を思ったのか。そしてふたたび建ち上がった聖堂を目にして、いかほどの感慨を覚えたのか。想像するしかない。

このドレーパー夫妻が乗客に加わったサンフランシスコから、健島丸の本格的な太平洋横断が始まったわけだが、宇津木と細野の日記で目にとまったのは、一二月一日以降、「時計を五四分遅らせる」、「三三分バック」、「二四分バック」といった記載が連日みられることだ。飛行機の旅にはない、船旅ならではの時の経過が感じられる。そしてこの時計合わせ儀式が日本のタイムゾーンに入るまで続くのだが、ほぼ中間点で、あるクライマックスが訪れる。それは太平洋航海の目玉ともいえる、北極と南極を結ぶ東経一八〇度線、つまり日付変更線を越える瞬間だ。細野は一二月六日水曜日、低気圧で時化てきた日、大揺れに苦しみながらも、船長の説明を日記に記す。翌七日の午前中に変更線を越えれば一二月七日が消え、午後以降になると、翌々日の一二月八日がなくなるのだという。宇津木の日記にも類似の記録がある。

ここで宇津木の日記に添付されている、健島丸の航程を示す正午位置記入板を参照しながら（二七一頁地図）、ふと考えた。太平洋を東から西に移動すれば、カレンダーの一日が丸ごと消え、反対に、西から東に越えるときは、一日ダブる。四人の乗った健島丸の場合は、「東から西」に航行しているわけだ。このあまりにも当たり前の気付きに、思わず一人で声を出して笑ってしまった。ファー・イースト、つまり極東の東の端にあるとされている日本に向かう船が、喜望峰廻りでやって来たペリーの黒船とは反対に、ひたすら西へ、西へと進んでいる状況が、なんとも奇妙な歴史の皮肉に思えたからだ。

と同時に、国際関係を学んだ大学院時代を思い起こす。そのころ興味をもって研究した課題が、「汎アジア思想」だった。だが文献を探るほどに、「アジア」という集合体の定義が曖昧だったり、あるいは定義をしていても、地域的、文脈的に偏りがあったり、一貫性に欠けていることに不満を感じた。そこでまず「アジア」の語源から突き詰めようとブリタニカ百科事典を引いてみると、我々が当たり前のように受け入れているこの語は、古代アッシリア語「アッス（assu）」という言葉に由来している可能性があるとのことだった。それは単純に「東」を意味し、より広義には「光（つまり太陽）が発生する場所」を指すという。健島丸の相対的な位置を考えれば、アメリカ大陸こそが、アジアなのだ。

消えた真珠湾攻撃記念日

二〇年前の一二月八日

宇津木と細野の日記を読み進めると、一二月七日は白波が立ち、うねりが高く、横揺れの激しい状態が続いている。空は晴れたり、曇ったりだ。一瞬、船体が三〇度近く傾いた。日本の空母四隻と約三〇〇の航空機が散った、ミッドウェーの北でのことだ。夕食には日付変更線を通過する日の伝統で、すき焼きと日本酒が出される。この日ばかりは、いつものパーサーと機関長だけでなく、一等航海士、船医、通信長なども加わって、順調な航行を祝った。だが揺れが激しく、とうとうテーブルに枠がはめられる。そんなわけで船酔いも再発し、せっかくのご馳走も、少なくとも宇津木と細野に関していえば、あまり楽しめる状況ではなかったようだ。その晩、健島丸は日付変更線を通過した。宇津木の記入は簡潔だ。「一二月八日(金) 本年はこの日ナシ」

健島丸の一九六一年一二月八日は太平洋上に消えたが、その二〇年前、一九四一年一二月八日は、日本国民にとって重大な日だった。朝七時のニュースで、「帝國陸海軍は本日八日未明、西太平洋においてアメリカ、イギリス軍と戦闘状態に入れり」という発表がなされ、さらに午前一一時半になると、真珠湾奇襲攻撃成功が国民に知らされた。なかには少数だが、対米戦争の行く末を案じて「大変なことになった」と思う人もいた。だが少なくとも表面的には、ほとんどの人がこのニュースに歓喜した。道ゆく知らぬ者同士がお祝いの言葉を掛け合い、新聞社の掲示板の前には速報、詳報を求める人が大挙したりといった風だった。とくに知識人や文化人の間では、「一二月八日」が真摯に受け止められた。斎藤茂吉は「皇軍大捷《こうぐんたいしょう》、ハワイ攻撃!!」と記し、ほかにも小林秀雄、伊藤整などを含む、世代の異なるインテリが、数年来の憂鬱と鬱憤が一瞬にして吹き払われた心境を、それぞれ記録している(ドナルド・キーンの『日本人の戦争——作家の日記を読む』に、くわしい)。

なぜ彼らがそれほどまでに感激したのか。それはただたんに勝利に酔ったということではなく、正直「ほっとした」からではないか。中国文学者の竹内好は説明する。「率直に云へば、われらは支那事変に対して、にはかに同じがたい感情があった。疑惑がわれらを苦しめた……わが日本は、東亜建設の美名に隠れて弱いものいぢめをするのではないかと今の今まで疑ってきたのである」(『中国文学』一九四二年一月号)。つまり満州事変以来、日本政府がその対外政策に何らかのかたちで織り込んできた「アジアの盟主日本による、西欧列強からのアジアの解放」という、一種の汎アジア主義的大義が、空約束でないことを、一二月八日の離れ業が証明した、ということだった。

岩波書店の創業者岩波茂雄も、日米開戦に際して「米英をやっつけるなら僕も賛成だ」と述べたと、一九六三年出版の伝記『惜櫟荘主人——ひとつの岩波茂雄伝』(小林勇著)が記す。この発言が本当にあったのか真偽のほどはわからない。しかし真珠湾奇襲攻撃の成功が、それまでの日本の軍国主義や拡張主義を嫌悪し、言論の自由を信じた人々さえをも納得させたことを示す典型的な逸話ではある。

当然のことながら、戦果に胸躍らせる非日常的な感情は、そう長くは続かなかった。大本営が事実を発表しなくとも、日本の戦況が悪化していくのを、人々は的確に感じ取っていったからだ。日に日に乏しくなる物資、戦地からの戦死者の報告、そして最終的には日本の都市部を容赦なく襲う爆撃が、一九四一年一二月八日の陶酔を、遠い昔のものに感じさせた。さらに敗戦後は、「一九四五年八月一五日」という日付が、より大きな重みをもって、人々の心のなかに記憶されていくことになり、ますます一二月八日が忘れられていった。

日本の国策を担う首脳部が、ほぼ勝ち目のないことを承知で、なぜ一九四一年一二月八日、戦争を始めたのか。この不可解な疑問に、戦後の日本人が向き合わなかったわけでは決してないが、結果的には「一億総懺悔」の掛け声のもとに戦争責任を希釈し、臭いものには蓋をする衝動が打ち勝った。

それでも「開戦」というれっきとした政治判断が指導層によって下され、一二月八日の「快進撃」をもたらしたという事実は、誰にも変えられない。さらにいえば、日本がその重大決断にいたるまでのプロセスで、引き返したり、軌道修正したりするチャンスがなかったわけでもない。真珠湾攻撃という大きな賭けは、敵国が始めたものではなく、ましてや空洞のなかで自然発生したものでもない。日本の権力中枢にいた特定の人々によって、ゴーサインが出されたのだ。その人々とは、開戦内閣であり、海軍軍令部であり、陸軍参謀本部であり、またその上にいる天皇でもあった。

「思想の科学」発行中止事件

誰がどこまで実質的な責任があったのか、そしてそれぞれが、どのような個人的、組織的制約に縛られながら開戦決意にいたったのか、という問題には、もちろん論争がつきものだ。そもそも大変に入り組んだ問題であるからこそ、多くの国民が目を向け、突き詰め、議論していく必要があるはずだ。なぜそのようにならなかったのか。

それを理解するヒントが、一九六一年一二月、四人が旅を終えた直後に起こった事件に垣間みえる。その年の一二月二七日、新年号として店頭に並ぶはずだった「思想の科学」の「天皇制特集号」の発行が中止された。「思想の科学」とは、鶴見俊輔、鶴見和子、都留重人、丸山眞男、武谷三男、武田清子、渡辺慧から成る同志が、戦後の思想、言論界を牽引すべく創刊した雑誌だった。そして当時の出版元だった中央公論社が、彼らの意向とは関係なく、特集号の発売を中止したのだ。その理由は「内容どうこういうのではなく、時期的にまずいという一語につきる」ということだった(毎日新聞、一二月二八日)。それは同年二月一日に起こった、「嶋中事件」のことを指している。一七歳の右翼少年小森一孝が、嶋中鵬二《しまなかほうじ》中央公論社長宅に侵入し、社長夫人と家政婦の丸山かねを刺した事件である。夫人は一命を取り留めたが、丸山は病院に搬送中に死亡が確認された。小森少年は「中央公論」に連載された、天皇家の処刑場面を含む深沢七郎の短編小説『風流夢譚』を不敬とし、そのような暴挙に打って出たのだ。

嶋中事件に先立つこと三カ月、一九六〇年一〇月一二日、社会党の浅沼稲次郎委員長が演説中に、こちらも一七歳の右翼少年、山口二矢に殺害されている。これら一連のテロ殺人は、出版界に自己検閲、自主規制という風潮を生み出した。嶋中社長は『風流夢譚』の掲載を誤断だったと陳謝し、作者の深沢も涙ながらの謝罪をするにいたった。またこの事件とほぼ同時進行で、文藝春秋社と大江健三郎が、右翼団体からの脅迫を受けていた。山口二矢をモデルとしたとされる大江の中編小説『セヴンティーン』、『政治少年死す(「セヴンティーン」第二部)』が雑誌「文學界」に掲載されたことに対する「抗議」だった。結局「文學界」編集長も謝罪している。卑劣な行為を非難するどころか、加害者や脅迫者に謝罪し、たどり着いた先が、一九六一年末の「思想の科学」発売中止だったのだ。

一九六一年、日本の言論界の主流がテロに屈していき、なし崩し的に天皇制や開戦責任についての議論がタブー化されていった様子は、二〇一五年一月、パリで起こった「シャルリー・エブド」襲撃事件と対照的だ。この事件では、預言者ムハンマドを冒瀆したとして、風刺新聞のオフィスにイスラム過激派のテロリストが乱入し、編集長をふくむ一二人を殺害した。新聞は卑怯なテロを非難し、それに賛同するかたちで「私はシャルリーだ」(Je suis Charlie)というスローガンのもと、フランスで、そして世界各地で、言論弾圧への抗議運動が巻き起こった。もちろん一九六一年の日本社会における天皇制と、二〇一五年のフランス社会におけるイスラム過激派(これは、そもそもイスラム教とは区別されるべきものだ)の立場の違いは、単純な比較を許さない。また場合によっては、強い者が「表現の自由」の名のもとに、反論する術をもたない弱い者を、追い詰める可能性があることも否定できない。

それでも時代と国を超えて共通するのは、自分たちの生まれた社会に居場所を見つけられない青少年が、より大きな、宗教的な存在に、自分たちの存在価値を見出そうとする衝動だ。大切なものが踏みにじられたと感じると、言葉よりも手っ取り早い暴力という手段で相手を威嚇したり、封じ込めようとするところも類似している。そのような非民主主義的な衝動を、民主主義の先鋒であるはずのメディアが容認していては、意味ある議論は生まれ難い。恐喝、暴力、殺人が、民主主義の手段としてとうてい認められないこと、それを命を賭けてでも示す覚悟が、一九六一年の日本には欠けていたということだろうか。最大の皮肉は、戦後日本の民主主義が、たくさんの命、そしてほぼすべての物を失ったすえに、やっと手に入れたものだった点だ。

「なぜあなたは真珠湾を攻撃したの」

いまだかつてない興奮と感慨をもって迎えられた一九四一年一二月八日が、数年のあいだに日本人の記憶の隅に追いやられていった一方で、真珠湾攻撃記念日は、アメリカで生き続ける(時差の関係で一二月七日ではあるが)。議会に対日宣戦承認を促すルーズベルト大統領の演説で「不名誉に汚された日付」とされたその記念日は、「リメンバー・パールハーバー」の標語とともに、アメリカ愛国ナラティブの、中央祭壇に据えられたのだった。もちろん太平洋戦争をリアルタイムで知らない世代のアメリカ人が、「パールハーバー」で起こったことを、どれだけ史実として把握し続けているかには疑問がある。だがそれは、もはや問題でないのかもしれない。本土から離れた島ながらも、れっきとしたアメリカの国土が奇襲攻撃を受けた、という点が最重要なのだ。それを私が初めて思い知ったのは、高校時代、アメリカで生活するようになってからだった。

「なぜあなたは真珠湾を攻撃したの」と、歴史のクラスで質問されたことを覚えている。「日本という国が攻撃したのであって、私は生まれてさえいなかった」という気持ちと、「はて、なぜ日本はそんな無謀な攻撃をしたのか」という疑問のはざまに、しばし絶句した。後で知ることだが、同じような経験をした日本人留学生は、年齢に関係なく周りに多い。このようなやりとりは、もはやアメリカで学ぶ日本人にとって通過儀礼なのかもしれない。結局、そのときは満足のいく答えをできなかったが、この経験はやがて大学で歴史を学んだり、大学院で国際関係を専攻するといった道に、私を導いて行ったと思う。さらに遠回りはしたが、「日本がどのように真珠湾攻撃までの政策決定にいたったか」という謎解きを、自分なりに理解したいという気持ちが高まり、本まで書くことになった。

個人的な体験の外にも、アメリカの愛国シンボルとしての真珠湾の重みを痛感させられる、忘れられない事件がある。二〇〇一年九月一一日のアメリカ同時多発テロだ。その頃私はイギリスに住んでいたのだが、偶然にもニューヨークを訪問中だった。ワールドトレードセンターのタワーが崩れ落ちる様子を、テレビの画面上でまるで映画の一場面をみるような信じがたい気持ちで追ったことを覚えている。目に見える距離にはいなかったが、そう遠くはない場所でおこっている惨劇だという事実もショックだった。さらには一九九三年二月二六日にあった、一度目のテロ攻撃のことも思い出された。九・一一の予告のようなその事件では、イスラム過激派テロリストが、五〇〇キロ以上の爆薬を積んだ車をワールドトレードセンターの駐車場で爆発させた。六人の死者が出ている。

当時私の父は、ビルの北東(1WTC)九五階と九六階全フロアを占める、住友銀行ニューヨーク支店に勤務していた。爆発は一二時一五分ごろでお昼時ということもあり、銀行関係者約五〇〇人全員がオフィスにいたわけではなかったが、それでも三五〇人ほどを避難させる必要があった。父は二時間強かけて、黒煙が上ってくる、狭く長い非常階段を、行員たちと一緒に下りたのである(日本での防災訓練の知識から出発前に、とにかく手持ちの布を濡らして口と鼻を塞ぐよう指導したという)。この経験もあり、ワールドトレードセンターの安全性や対策に大きな疑問をもった父は、東京の首脳陣に強く支店の移転を求めた。結果として二〇〇一年の時点で、住友銀行のオフィスはもうそこにはなかったのだが、昔から見慣れた思い出のある景色が一瞬にしてなくなり、それとともに大勢の命が消えたことに唖然として、言葉が出なかった。やがてテレビのローカルニュースは、被災者や目撃者のインタビューを流し始めた。そのなかで一度や二度ではなく「これは真珠湾攻撃だ!」といった、興奮冷めやらない談話が聞かれ、夜になる頃には、ニュースキャスターさえもが、ツインタワーへの自爆攻撃を、真珠湾攻撃に擬《なぞら》えるようになっていった。

その展開を目の当たりにしながら、私はますます混乱した気持ちになった。軍事標的を攻撃した国家間の争いと、捨て鉢のテロ行為が同系列で語られることの違和感を、まず一番に感じた。また真珠湾奇襲攻撃と戦争末期の神風特攻隊の自爆を一緒くたにし、そのイメージをタワーに飛行機で突っ込んだテロリストに重ねている点も大いに気になった。だがそのような腑に落ちない思いにもかかわらず、「奇襲」という点では、一九四一年と二〇〇一年の出来事の類似性を認めずにはいられなかった。そしていかに真珠湾奇襲攻撃がアメリカにおいて大きな存在かを、改めて思い知ったのである。「真珠湾」とは、アメリカが敵に対峙する際の結束のキーワードであり、人々の心のなかに棲み続ける。それゆえアメリカと関わる日本人、またはアメリカの日系人であるかぎり、真珠湾の負の遺産を無視することは不可能なのだ。

二〇〇一年九月一一日当時、アメリカ最高ランクの日系政治家は、ノーマン・ミネタだった。彼はクリントン政権で商務長官を務めたのち、超党派の抜擢でジョージ・W・ブッシュの運輸長官に任命されていた。国防総省本庁舎(ペンタゴン)が攻撃された数秒の後、ミネタは直ちに全米の航空空域を閉鎖させた。その時点で飛行中だった四五四六機もの民間航空機も緊急着陸させ、未曽有の危機において驚くべき機転と指導力を発揮したのだった。さらにミネタはこのテロが及ぼすであろう特定のグループへの差別行為の高まりを当初より的確に予測し、早くからメディアで積極的に発言し、警告を発している。真珠湾がもたらした日系人の苦難を、思い起こしていたにちがいない。

だがさらに真珠湾の影は暗く、長く延びる。二〇二〇年五月、ドナルド・トランプは大統領執務室に集まった記者団に、コロナ禍はアメリカが受けた「最悪の攻撃」であるとまくしたてた。「これは真珠湾よりもひどい。ワールドトレードセンターよりもひどい。こんな攻撃は、いまだかつてなかった」。そして「この目に見えない敵との戦いを、私は戦争とみなしている。

ここにやって来た経緯が気に入らない。だって防げたはずなんだぞ」と続けた。この時点で、トランプは中国を相手に訴訟を起こすことを仄めかしている。この「談話」で、トランプが真珠湾攻撃と九・一一同時多発テロを引き合いに出した意図は、明らかだ。そこには「アメリカが卑怯な敵に突如として攻撃され包囲されている。だがアメリカは黙っていない」、というメッセージがある。この稀代のポピュリスト・パフォーマーが、歴史家ホフスタッターが指摘したところの「パラノイア」を存分に刺激し、「普通の人々」の心のなかに潜入していく様子がよくわかる。まさにトランプ言説法の見本のようなコメントだった。

太平洋序曲

父たちが生きた時代

一二月八日が消え時間が先送りされると、船旅も後半戦だ。日付変更線を越えた後の数日間は時化が強まり、食欲が湧かず、旅人たちは寝込むことも多くなった。そうなるとますます時間の感覚が希薄になっていく。とくに「堀田君が気分が悪そうである」と、宇津木が記す。そういう宇津木も、また細野も、元気ではない。だが例外がいた。増尾だ。宇津木は恨めしそうに憎まれ口を叩く。「彼は少し太ったようだ。タバコを吸える状態なのも彼だけで、一人元気に船内を歩き回っている。神経があるのかと疑いたくなる程だ」

私はこの記載を目にしてうれしかった。それまでは増尾の人物像が、摑みづらかったからだ。

旅のメンバーでただ一人の故人である増尾については、「よくわからない」というのが、旅を擬似体験するなかでの、私の正直な気持ちだった。学生時代は親しい友人だったはずの父も、社会人になってからは連絡が途絶え、継続的に交流のあった宇津木でさえ亡くなったことを知ったのはしばらく経ってからだったという。だがその増尾が船の揺れなどものともせずに、元気に船内を闊歩している様子を考えると、勝手に親近感がわき、こちらも楽しくなってきた。

父に増尾のことをもう少し聞くと、学生時代は優等生かつ健康優良児、大人になってからはヘビースモーカー、東大を卒業後は、日本鋼管に就職するものの、どこかの時点では小豆島の丸金《まるきん》醬油の建て直しに参画しておられたとのこと。ご遺族の所在も不明ということで、果たして一九六一年の旅で日記をつけていたのか、遺された写真はあるのかなど、確認したくても手がかりが摑めなかった。やはり彼がこの旅の最大の謎であることには変わりない。だが確実なのは、増尾にも、そしてあとの三人にも、旅を終えて帰った日本と、自分たちの人生のターニングポイントが、ほぼ同時期に訪れたことだろう。

彼らが大人として生きる日本は、なんとも目まぐるしく変貌していく社会だった。すぐ先には敗戦からの復興を記念する東京オリンピックと新幹線開通があり、やがて高度経済成長期、バブルへと続く。だがそのバブルはあっけなくはじけ、地下鉄サリン事件や阪神淡路大震災を筆頭に、空白の一〇年、二〇年の訪れを象徴する事件や出来事が重なる。二〇一一年、四人の旅の半世紀後に東北地方を襲った大震災と、それに続いた津波と原発事故、そして大惨事後間もなく「震災復興オリンピック」と銘打って、力ずくでもぎ取った再度の東京オリンピック開催権（厳密には、一九四〇年の消えた東京オリンピックを入れると、「再々度」だが）、必要性が論じられるより先に膨れ上がった巨大なスタジアム、そしてコロナ禍、首都圏会場無観客での一年越しのオリンピック強行開催……。

明治維新以降、列強に「追いつけ、追い越せ」と掲げたスローガンを、戦後もがむしゃらに、今度はアメリカを第一の理想として追い求めた結果が、現在の日本なのだろうか。それは初めから、蜃気楼を追うような試みだったのではないのか。四人が旅をした頃のアメリカ黄金時代の素晴らしささえも、もともと「幻影」だった。かぎりない豊かさや自由は、多くのアメリカ人にとっても理想であり、夢であり、現実ではなかったのだ。うわべの華々しさ、眩しさを通り越したところにみえたのは、「月賦払いで無理をしても車は二台欲しい」とか、「ジム・クロウ法を廃止しても、人種差別は続ける」など、束の間の訪問者の目にも、大いに危なっかしく、矛盾するアメリカの内実だった。四人はそれを見知ったことで、「美しい新世界」の呪縛から幾分かは解放され、それぞれが自分で見て、考えることを学んだのかと思う。

健島丸が低気圧を通り抜け、ようやく揺れが収まったのは一二月一二日だった。船酔い組も食事ができるまで回復したところで、いよいよ一五日の午前中には、横浜に到着できそうだと知らされる。となると、残されたのは実質二日間。一行は、荷物の整理をしたり、船内を隈なく見学したり、日本の家族に到着を伝える電報を送ったり、記念撮影をしたりと、入港にむけて、期待とともに時を過ごした。最後の晩餐はご馳走ずくめで、カクテルやケーキも出されたのだが、さらにドレーパー牧師夫妻がシャンパンの栓を抜いてくれた。名残りを惜しみながら皆でトランプに興じた後、キャビンに戻り、時計の針を微調整する。いよいよ日本のタイムゾーンに突入した。そして、翌朝、目を覚ませば横浜だ。

最後の記録

船旅の醍醐味を知らない私も、この辺りの日記を読み進めているうちに、鼓動の高鳴りを覚える。それと同時に、ある歌が、頭のなかで聞こえてくる。スティーヴン・ソンドハイム作詞作曲のミュージカル『太平洋序曲』(*Pacific Overtures*)からの、「神奈川へようこそ」(Welcome to Kanagawa)だ。一九七六年ブロードウェイ初演のこの作品は、黒船来航と日本の開国をきっかけに起こる、日本人の内面の葛藤が織りなす物語で、この曲は、浦賀の置屋の女将が、黒船に乗ってやってくる「外国の悪魔」たちを、どのように誘惑するか、芸者の指導にあたるシーンで歌われる。『太平洋序曲』は二〇一七年、オフ・ブロードウェイでリバイバルされたので、私も当時まだ一〇歳になるかならないかのソンドハイム・ファンの娘、夫、そしてちょうど訪問中だった両親と一緒に、三世代揃って観劇した。主な出演者はアジア人が占めており、その筆頭は「狂言回し」として物語を進行させるジョージ・タケイだった。太平洋から、まさに波のように押し寄せる近代化の勢いに戸惑ったり、抗おうとしたりする者もいれば、うまく乗る者もいる。それらの異なるキャラクターの心理や行動が、洒脱に、ユーモラスに、そして真剣に描かれる。

だがそれはあくまでも「序曲」に過ぎなかった。そこから始まる近代日本の物語は、明治維新、日清・日露戦争、大正デモクラシー、そして昭和の恐慌、拡張主義、国粋主義の広がりへと連なっていく。やがて国は袋小路に入り込み、打開策として太平洋戦に国運を委ねた賭けに出るが、それによって多くを失う。近代日本の物語は、太平洋に生まれ、消え、またそこから再生する定めだったのかもしれない。

一二月一五日金曜日、旅の開始から六五日目の宇津木の日記のエントリーには「横浜到着」とだけ書かれている。一方、細野は記録が細かい。抜粋する。

「朝七時半ごろ目を覚ます。窓から外を見ると左側に陸が見える。半月ぶりである。三浦半島か？　防衛大らしき白い建物も見える。大して懐かしい感じはしない。デッキに出る。寒い。吹きつける風が冷たい。大きい船とすれ違う。太陽がもやの中に霞んで、陸がだんだん近くなる。朝八時少し前、横浜埠頭の外で錨を下ろす。予定より一時間以上早い。海運会社をやっている父の教え子の池田さんが船まで出迎えてくれて、小舟に乗り移り横浜港に向かう。他の三人の家族は出迎えに来ていたが、わが家族はだれも来ず。ひとり桜木町駅から京浜東北線で帰宅」

細野が淡々と荷物を携え、ひとり電車で家路につく後ろ姿が目に浮かぶ。そこには小児麻痺を生き延び、杖や装具を使っても自立した生活を送ることに誇りをもった、アーサー・カミイの後ろ姿も重なる。我々がアメリカとともに見続けるべき夢は、物質的豊かさでも、見せかけの自由でもなく、まさにこの後ろ姿が象徴するなにかではないか。ひとりで考え、歩き、生きる力強さは、いうまでもなく、心のありかたの比喩だ。それは年齢に関係なく、また身体能力に関係なく、頭が動くかぎり、誰もが見続けられる夢でもある。

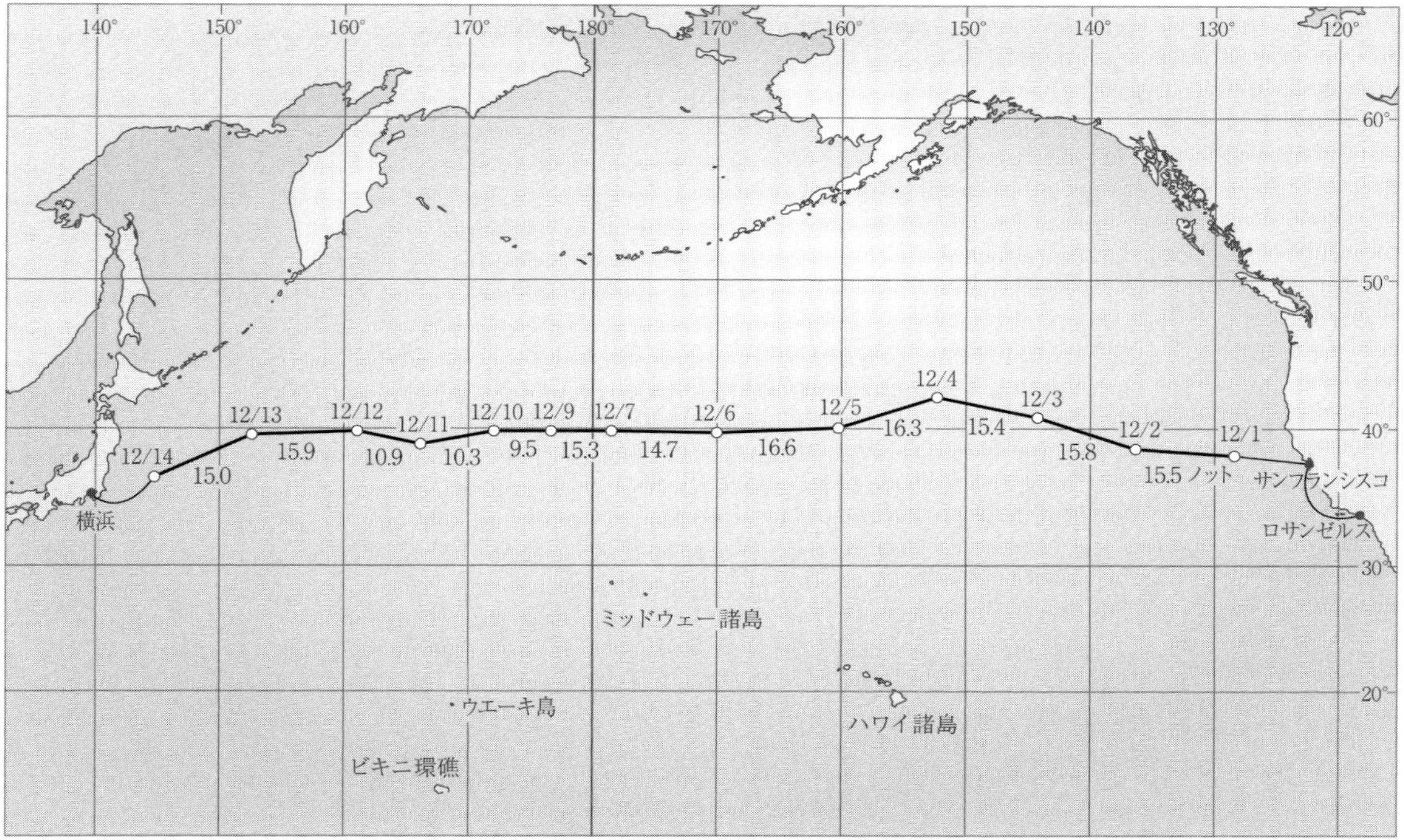

健鳥丸の航路
（宇津木「アメリカ日記」より，太線は正午位置記入板による）

あとがき

四人の旅は、横浜港で終わった。東京湾岸への黒船来航と、それに続く開国という、近代日本の一大転換点を想起させるロケーションで、一九六一年の冒険が幕を閉じたことに、私は格別な感慨を覚える。六〇年前の旅を下敷きに、時代や空間をまたいでアメリカを一巡りした私自身の想像上の旅行も、横浜港で始まり、出発点で帰結した気分になったからだ。

「まえがき」で述べたように、そもそもこの本の着想は、コロナ禍の脅威が生んだ内省の日々がなければ、得られることはなかった。「パンデミックが身近に迫りつつある」という不穏な空気を最初に察知したのは、二〇二〇年二月初め、横浜に帰港した客船ダイヤモンド・プリンセスで、コロナウイルスの陽性者が確認されたとのニュースを目にした時だった。日本の家族、友人のことを想い「この先、一体どうなるのか」という不安を切に感じた。自分たちの暮らすニューヨークにウイルスがやって来るのも、おそらく時間の問題だ、とも。その予感は、数週間のうちに、想像以上のスケールで現実となった。瞬く間に、ニューヨークがアメリカにおけるコロナ感染の震源地になったからだ。

二〇二〇年の夏、終わりの見えない自粛生活が続くなかで、岩波書店の堀由貴子氏より、

「何か書きたいことはあるか」というお伺いをいただいた。東京とニューヨークの間で、メールやズームを介し、アイディアのキャッチボールをしたのだが、父と仲間のアメリカバス旅行について書くことが、なんともタイムリーであることに我々が気づくのに、そう時間はかからなかった。旅の六〇周年が念頭にあったのはもちろんのこと、ちょうどその秋、アメリカは大統領選を控えていた。現在進行形で何かが変わりそうなこの民主主義大国について、半世紀以上前の旅を足がかりに考察を広げることは、大いに面白い試みだと思ったのだ。

いうまでもなく今日のアメリカ社会は、国内的にはコロナ対策、治安維持、移民、マイノリティー関連の問題などが山積みだ。だが過去六〇年の間に、より多くの米国民の人権や自由が認められてきたことも、たしかである。その一方で、国際的には、アメリカの失墜は否めない。一九六一年、絶頂期にあったアメリカ帝国は、二〇二一年、ますます衰亡の一途をたどっているかのようにみえる。それを象徴する出来事が、本書を脱稿するのと時を同じくして起こった。バイデン政権は、米軍のアフガニスタンからの撤収を決行し、二〇二一年八月一五日、首都カブールが陥落、タリバンが復権した。この一連の出来事は、帝国が縮小、撤退する際の課題を、世に知らしめた。「もう少し時間をかけて、段階的に撤退するべきだった」、というのがよく聞こえる批判だ。ではいったい、どれくらいが適当な期間なのか。あと一〇年なのか、二〇年なのか、三〇年なのか。そしてそれだけ時間をかければ、実際に安全、安定が保証できるのか。はたまた誰がその「自由」になった国を、引っ張っていくのか。確実な答えはなく、そこに植民地、および植民地的支配のジレンマが見え隠れする。はっきりとしているのは、帝国の資源や権力に依存する状態が長引くほど、帝国が去った後に、より多くの混乱が待ち受けているということだろう。

四人の旅人の調査対象であった、一九六一年にスタートした平和部隊にも、当初より「帝国主義的だ」という批判が向けられていた。しかし六〇年経った現在も、平和部隊は存続している。それはこのプログラムがおおむね、「招かれた」、「良い」タイプの帝国主義を行なってきたということなのだろうか。関連して、この本の目的は、アメリカそのものを語るだけにとどまらず、アメリカが、外の世界に発信してきた理想像やメッセージとは何かを考えるところにあった。とくに日本は近代以降、アメリカに憧れたり、反発したりを繰り返すことで、自らの立ち位置を模索してきた面がある。もちろんアメリカとは歴史的背景や、問題の規模、度合いが異なる。だが民主主義国家の理想と現実のあいだに生まれる葛藤——たとえば女性、マイノリティー差別、移民問題、経済格差問題など——には類似点もあり、これからも日本は、アメリカの姿を見つめ、追いかけながら、自分探しをしていくのだと思う。だが果たしてそれは、六〇年後もそうなのだろうか。

日本の近現代、そしてそのなかでアメリカが担ってきた役割や、及ぼしてきた影響を考えると、どうしても頭に浮かんでくるイメージがある。またしても横浜に縁深い、葛飾北斎の富嶽三十六景からの一図「神奈川沖浪裏」である。飛沫をあげてうねり、荒れ狂う大きな波の合間を、三艘の船が航行する。遠くには、富士山が望める。英語で「Great Wave」として知られるこの浮世絵の名作は、インターネット上で世界一ダウンロードされるイメージのひとつだとも言われており、これをモチーフにしたTシャツを着ている人をニューヨークでもよく目にする。

常々、私はこの大海原に繰り出す漁船を、開国以来の、日本という国家のメタファーだと解釈してきた。四方を海に囲まれた国、日本が、危険を承知で大海に挑み、波に呑まれそうになりながらも、それに乗って生き抜こうとする様子を、的確に表現しているといったらよいのだろうか。本書を書き終えて新たに思うのは、この図が、より個人的な人生を象徴しているのかもしれない、ということだ。人の一生を、荒波に立ち向かう航海にたとえるのは、大いに月並みで、陳腐で、センチメンタルかもしれない。だがそれが現在の私の正直な気持ちであり、一九六一年の旅人たちが見た、自立を尊ぶアメリカのメッセージとも、共鳴するように感じる。

ここで告白せねばならない。自分で考えたり、行動したりすることの重さを記しながらも、執筆中の私は、独立独歩からはほど遠く、多くの人々から、さまざまな形の、惜しみない助力を受けた。まず宇津木琢弘、細野徳治の両氏には、最大の感謝を表したい。二人の旅日記がなければ、本書の試みは、実現不可能であった。まえがきでも言及したが、書き手の違う二篇の日記があったということは、事実の照合を可能にするのはもとより、人それぞれの物の捉え方、感じ方の違いを浮き彫りにし、一九六一年の旅に、より多角的な視点をもたらしてくれた(書き手の気質や、着眼点の違いは、二人のその後の経歴からも、わかるかと思う。宇津木氏は日本石油化学に入社し、一貫して企業財務経理部門の第一線で活躍された。細野氏は、毎日新聞社でサイゴン特派員、ニューヨーク特派員、外信部長、編集局次長、論説副委員長などを歴任された)。

とくに宇津木日記に関しては、脱稿後に、うれしい巡り合わせがあった。二〇年以上前、その日記をタイプした、増尾千佳さんと、宇津木氏を通じて連絡が取れたのだ。故増尾光昭氏の次男、光彦氏と結婚されたご縁で、パソコン入力作業を頼まれたのだという。そのあたりの経緯がはっきりしたことで、千佳さんはもとより、ただひとりの故人である旅のメンバー増尾氏にも、知らず知らずのうちに、大きな力で導いていただいたのだと、実感した次第である。

編集者の堀由貴子氏には、着想から資料集めに始まり、執筆、校正作業を通して、つねに寄り添っていただいた。感謝の念に堪えない。史実の確認については、ハリー・S・トルーマン大統領図書館のアーキビスト、タミー・ウィリアムス氏と、上井義雄氏の親族であるミエコ・カミイ、キャロリン・カミイの両氏に、とくにお世話になった。心から御礼を申し上げる。

最後に、実際的、精神的な支えとなり、背中を押してくれた家族にも感謝したい。夫と娘には、日々の生活のなかで、執筆に不可欠な刺激とインスピレーションをもらい続けた。姉、豊田真理は、多数の写真を含む父の旅の記録を、時間を割いて、整理してくれた。母、堀田公子は、私の原稿の、もっとも信頼する最初の読者であった。そして、この物語の主人公のひとりである父、堀田健介に、感謝と敬意をもって、本書を捧げたい。何らかの形で、一九六一年の四人の若者の旅を記念し、現在、また未来へと繋げられたならば、幸いである。

二〇二一年秋

堀田江理

図版提供一覧

〈第Ⅱ章〉

60 頁　ピアノを弾くトルーマンとローレン・バコール*，出典：Life Magazine, February 26, 1945

〈第Ⅲ章〉

87 頁　ディアボーン工場の流れ作業，提供：Roger-Viollet／アフロ

〈第Ⅳ章〉

117 頁　ニューヨークのオートマット食堂，提供：Science Source／アフロ

136 頁　ルーズベルト騎馬像*，出典：https://www.flickr.com/photos/eblake/20774153538/

〈第Ⅴ章〉

171 頁　ベンサムによるパノプティコンの構想*，出典：The works of Jeremy Bentham vol. IV, 172–3

176 頁　カフェ・デュ・モンド，写真：AP／アフロ

〈第Ⅵ章〉

196 頁　グランドキャニオンの展望塔*，出典：https://commons.wikimedia.org/wiki/File:Yavapai_Observation_Station.jpg

206 頁　トゥーリーレイク戦争移住センター，"Tule Lake concentration camp" (ddr-densho–2–33). Densho, Courtesy of the Bain Family Collection.

207 頁　破壊されたロサンゼルスの日蓮宗寺院の内部*，"Vandalism of Japanese American property"(ddr-densho–37–283). Densho, Courtesy of the National Archives and Records Administration

211 頁　国府田敬三郎，"President of Amache Consumer Enterprises"(ddr-densho–163–3). Densho, Courtesy of Sakae Kawashiri

223 頁　ジョージ・アラタニ，提供：Getty Images(撮影：Annie Wells)

226 頁　法案に署名するレーガン大統領，"President Reagan signing the Civil Liberties Act of 1988"(ddr-densho–10–6). Densho, Courtesy of the Kinoshita Family Collection

〈第Ⅶ章〉

245 頁　飯野海運のパンフレット，Maritime Timetable Images より　http://www.timetableimages.com/maritime/index.htm

*はパブリック・ドメインの画像
そのほか記載のない写真は著者提供(堀田健介氏が旅行時に撮影)

John Bender, *Imagining the Penitentiary: Fiction and the Architecture of Mind in Eighteenth-Century England* (University of Chicago Press, 1987).
S. Frederick Starr, *Inventing New Orleans: Writings of Lafcadio Hearn* (University of Mississippi Press, 2001).
Flannery O'Connor, *Everything That Rises Must Converge* (Farrar Straus Giroux, 1965).（須山静夫訳「高く昇って一点へ」『オコナー短編集』新潮文庫，1974 年）
三島由紀夫『宴のあと』(新潮文庫，1969 年)

〈第Ⅵ章〉

Naomi Hirahara, *An American Son: The Story of George Aratani: Founder of Mikasa and Kenwood* (American Profiles, 2001).

〈第Ⅶ章〉

ドナルド・キーン，角地幸男訳『日本人の戦争——作家の日記を読む』(文春文庫，2011 年)

主要参考文献

〈第Ⅰ章〉

細野徳治「無冠の国際人，細野軍治の学問と行動の事蹟」『拓殖大学百年史研究』6号，2001年1月

小田実『何でも見てやろう』河出書房新社，1961年

〈第Ⅱ章〉

Anaïs Nin, *The diary of Anaïs Nin. 1939–1944* (Harcourt Brace Jovanovich, 1969).

John Hersey, *Hiroshima* (Alfred A. Knopf, 1946). (石川欣一・谷本清・明田川融訳『ヒロシマ 増補版』法政大学出版局，2003年)

Susan Southard, *Nagasaki: Life After Nuclear War* (Viking, 2015). (宇治川康江訳『ナガサキ――核戦争後の人生』みすず書房，2019年)

〈第Ⅲ章〉

A. J. Liebling, *Chicago: The Second City* (Knopf, 1952).

F. Scott Fitzgerald, *The Great Gatsby* (Charles Scribner's Sons, 1925). (野崎孝訳『グレート・ギャツビー』新潮文庫，1989年)

〈第Ⅳ章〉

David Nasaw, *The Patriarch: The Remarkable Life and Turbulent Times of Joseph P. Kennedy* (Penguin, 2012).

Harper Lee, *To Kill a Mockingbird* (J. B. Lippincott & Co., 1960). (菊池重三郎訳『アラバマ物語』暮しの手帖社，1984)

Ralph Ellison, *Invisible Man* (Random House, 1952). (松本昇訳『見えない人間 上・下』白水Uブックス，2020年)

〈第Ⅴ章〉

John Benwell, *An Englishman's travels in America: his observations of life and manners in the free and slave states* (Ward and Lock, 1857).

堀田江理

歴史研究者．1971年東京生まれ．プリンストン大学歴史学部卒業．オックスフォード大学より国際関係修士号，同博士号を取得．オックスフォード大学，国立政策研究大学院大学，イスラエル国立ヘブライ大学などで教鞭をとり，研究，執筆活動を継続する．*Japan 1941: Countdown to Infamy*(2013年，Knopf)，日本語版『1941 決意なき開戦——現代日本の起源』(2016年，人文書院，第28回アジア・太平洋賞特別賞受賞)を上梓．著書に*Pan-Asianism and Japan's War 1941–1945*(2008年，Palgrave Macmillan)，訳書にイアン・ブルマ『暴力とエロスの現代史——戦争の記憶をめぐるエッセイ』(2018年，人文書院)などがある．日英米メディアへの寄稿多数．本書が初の日本語での書き下ろし著作となる．

1961 アメリカと見た夢

2021年11月26日　第1刷発行

著　者　堀田江理《ほったえり》

発行者　坂本政謙

発行所　株式会社 岩波書店
〒101-8002 東京都千代田区一ツ橋2-5-5
電話案内 03-5210-4000
https://www.iwanami.co.jp/

印刷・理想社　カバー・半七印刷　製本・牧製本

ISBN 978-4-00-061500-6　　Printed in Japan